ドミノ

恩田 陸

登場人物より一言

北条和美（28）
関東生命八重洲支社事務職員。
みんなに頼られる中堅社員。
「膝の痛みは何でも教えてくれる。あたしの膝は天気予報と占い師より正確」

田上優子（22）
関東生命八重洲支社事務職員。
熱血柔道少女。大の甘党。
「電車の中ではお年寄りに席を譲りましょう。そこ、寝たふりするな！」

加藤えり子（23）
関東生命八重洲支社事務職員。
沈着冷静タイプ。なにしろかつては……。
「人間、引き際が肝心。いつまでも現役にしがみつくのはみっともないね」

額賀義人（48）
関東生命八重洲支社営業部長。
太めで汗っかき。三人の子持ち。
「人生設計には頼れるパートナーである関東生命をどうぞ」

森川安雄（23）
関東生命八重洲支社総合職一年目。
やや出社拒否気味。
「チャゲ&アス聞いて自分を励まし、日曜は『世界遺産』見て寝ます」

市橋健児（24）
「ぴざーや」習志野店店長。えり子の友人。
「どこよりも配達の速いぴざーやをよろしく。器用軒のシューマイとコーラをサービスするキャンペーンを実施中です」

東山勝彦（53）
千葉県警所属巡査部長。
健児とは長年のつきあい。
「市民の安眠を守るため日夜努力しております」

鮎川麻里花（10）
大田区の小学生。
「エミー」のオーディションを受ける。
「キンキキッズの光一くんのファン。松嶋菜々子さんみたいになりたいな」

鮎川明子（36）
麻里花の母。かつては旅行代理店のOL。
「麻里花にはお芝居を自己表現の一つとしてのびのびやってもらいたいわ」

都築玲菜（11）
柏市の小学生。
「エミー」のオーディションを受ける。
「プロ意識を感じるヒガシが好き。目標は大竹しのぶさん」

浅田佳代子（29）
大手都市銀行総合職。
両親は教師。国会中継オタク。
「今さえよければいいって考え方はよくないと思うの。私たちの受け取る厚生年金はどうなっているのかしら」

結城正博（34）
幾つもの飲食店を経営する青年実業家。
「やっぱ人間て、自分にないものを持つ人に惹かれるんだよね」

落合美江（30）
正博のいとこ。画廊勤務。
「見た目が派手だからって、中身までケバいと思わないでよね。普段のスーツはカルバン・クラインよ」

江崎春奈（20）
K大学二年。東日本ミステリ連合会所属。
「本格も好きだけど最近は子供っぽくて。アルレー、ジャプリゾのような毒のあるエスプリ、デクスターやヒルの教養あってこそのミステリよ」

森永忠司（21）
W大学二年。東日本ミステリ連合会所属。
「やはりミステリはクイーン、カー、ヴァン・ダイン。常にトリックの極北を切り拓き、誰も見たことのない地平を目指すのだ」

蒲谷真一（23）
W大学三年。東日本ミステリ連合会現幹事長。
「原点は少年探偵団。最近は会員の好みが細分化して、古典を読んでくれないのが不満。ミステリは何でも好きだけど、個人的にはウェストレイクやライスが好きだなあ」

フィリップ・クレイヴン（37）
ホラー映画監督。
「ナイトメア」シリーズが絶好調。シリーズ第四弾のプロモーションのため来日中。
「尊敬する監督はアルフレッド・ヒッチコック、ジョン・カーペンター、ダリオ・アルジェント」

ダリオ（？）
フィリップのペット。
「………」

安倍久美子（27）
映画配給会社勤務。
関西方面の某神社の神官の娘。
「好きな映画スターは市川雷蔵。彼の発する妖艶な気が魅力」

吾妻俊策（71）
筑波山麓で農業を営む。
東京に来るのは初めて。俳句仲間のオフ会に。
「好きな俳人は正岡子規です。八木重吉の詩の優しさも好きです」

雫石貫三（66）
警視庁捜査四課ＯＢ。
以下四人は警視庁内の俳句サークルで知り合う。
「好きな俳人は種田山頭火。石川啄木にも共感を覚える」

山本豊彦（68）
警視庁捜査二課ＯＢ。
「好きな俳人は小林一茶。あのひねりがたまらない」

養老秀朝（67）
警視庁捜査一課ＯＢ。
「好きな俳人は与謝蕪村。三好達治の心象風景にも惹かれます」

白鳥健吉（67）
警視庁捜査一課ＯＢ。
「好きな歌人は室生犀星。与謝野晶子の歌もいい。ほんとは短歌をやりたい」

川添健太郎（36）
過激派「まだらの紐」メンバー。
爆弾造り一筋。
「俺の爆弾はアートだ。俺は自分の活動を芸術活動だと考えている」

妹尾甚一（44）
過激派「まだらの紐」メンバー。
「腐り切った世の中を掃除する。俺たちの役目は終わっていない」

水沼昭文（45）
過激派「まだらの紐」メンバー。
「企業と政治家はますます日本を食い荒らしている。最近は官僚と外資系企業も目に余る」

宮越信一郎（49）
テレビ朝田の人気キャスター。
「いつまでも第一線の一報道記者でいたい。愛読書はハルバースタム、『ベストアンドブライテスト』のような本を書くのが夢」

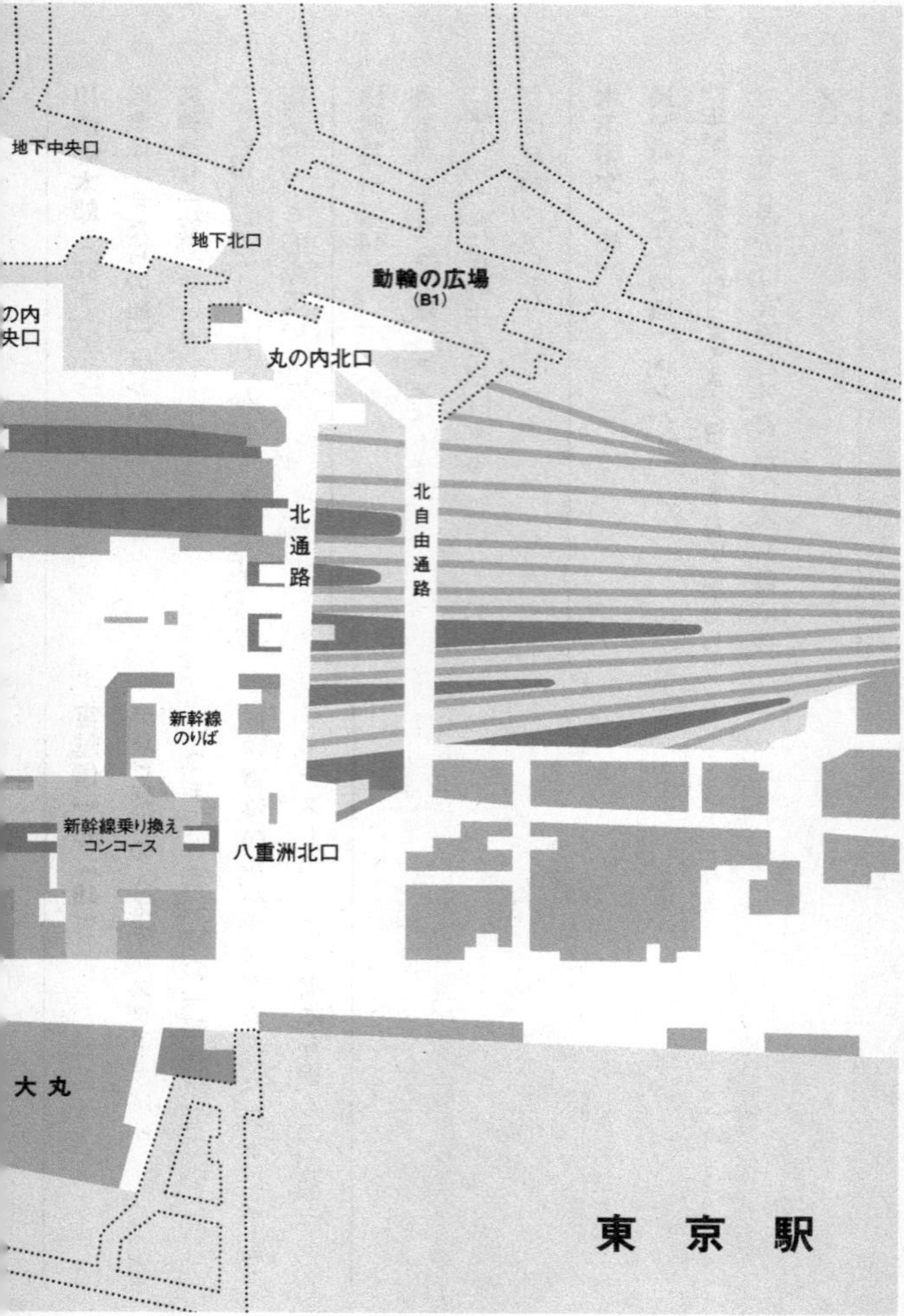
地下中央口
地下北口
動輪の広場
(B1)
の内
央口
丸の内北口
北通路
北自由通路
新幹線
のりば
新幹線乗り換え
コンコース
八重洲北口
大丸
東 京 駅

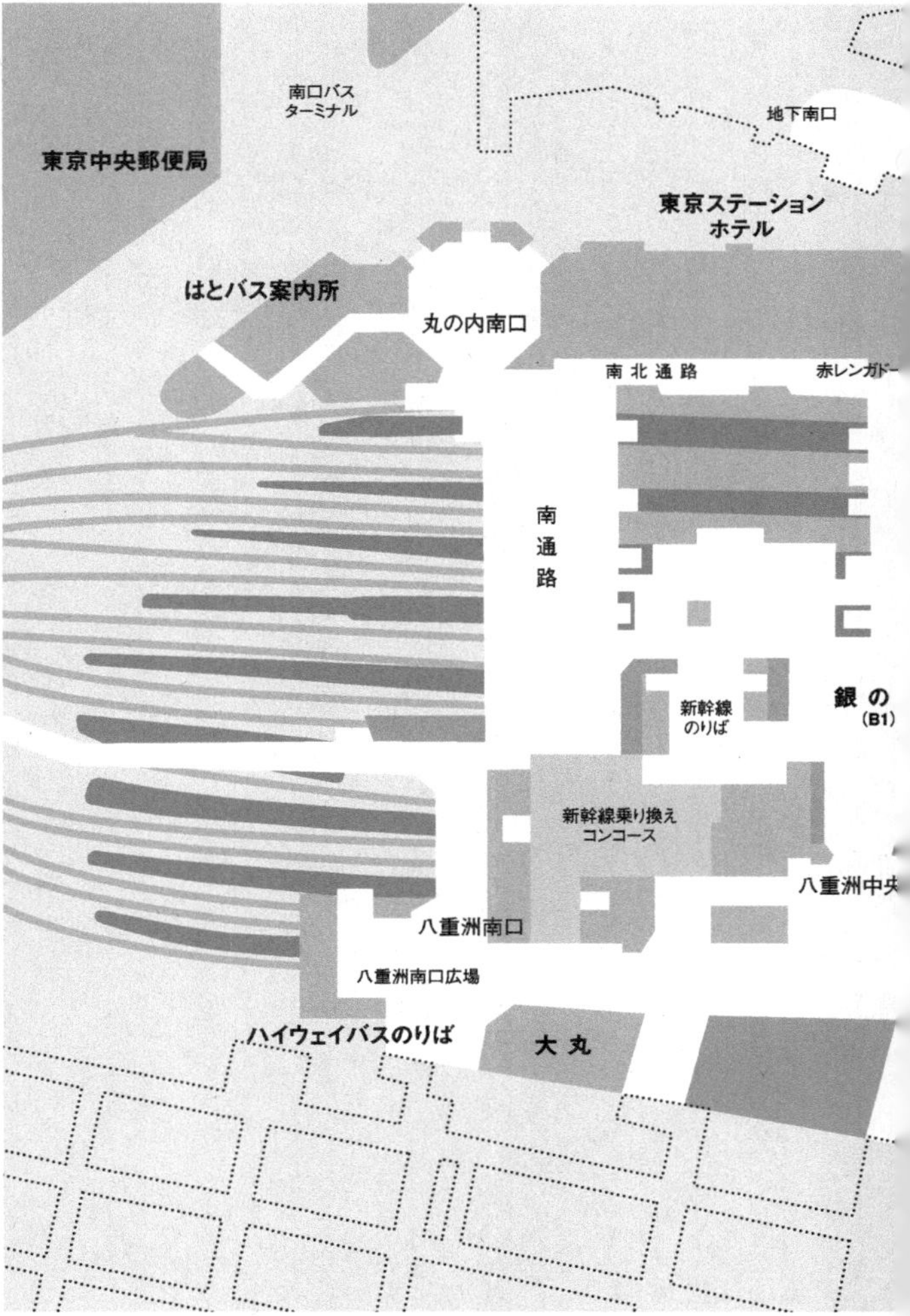

南口バス
ターミナル
地下南口
東京中央郵便局
東京ステーション
ホテル
はとバス案内所
丸の内南口
南北通路
赤レンガドー
南
通
路
銀の
(B1)
新幹線
のりば
新幹線乗り換え
コンコース
八重洲中央
八重洲南口
八重洲南口広場
ハイウェイバスのりば
大丸

人生における偶然は、必然である——。

1

関東生命の相模原《さがみはら》本社への最終便は、東京本社を六時十五分に出る。その前に、八重洲《やえす》支社から東京本社への便があるが、これは四時半だ。

営業部長には口が酸っぱくなるほど、遅くとも三時までには契約書を持ってきてもらわないと困ると念を押した。しかも、入金が同時なので頭が痛い。大きな金額なのに、直接支社に現金で持ってくると言う。支社の金庫は三時で閉められる。経理には前もって根回ししてあるが、入金が遅れたらどんな目に遭うか考えるだに恐ろしい。彼らはイレギュラーな現金の出入りを最も嫌う。だが、どうしても今日のオンライン時間が終わるまでに入金入力をして、契約書を本社への便に載せなければならない。

今月は、出だしは順調だったのだが後半伸び悩み、今月のためにとっておいた法人契約が土壇場で二つキャンセルになった。その保険金額合計二億三千万。実働は早期に達成できたのに、目標金額に九千万足りない。支社長以下幹部は真っ青になったが、奔走のすえ、本当は来月に予定していたのを拝み倒して前倒しにし、滑り込みで一億の契約に漕《こ》ぎ着けたのである。この一億が落ちると、八重洲支社は目標が達成できない。そして、今日は七月戦の契約受付の最終日である。

関東生命では、七月、十一月、二月が「記念月」と呼ばれる営業強化月間である。七月は年度初めの記念月であるため、営業にも気合いが入る。前年度の最低三割増の目標を設定しているからには、早いうちに数字を稼いでおかねばならぬ。ちなみに、なぜか十一月は「生命保険の月」と業界全体で決められているため、十一月戦が最も重要とされている。関東生命では、伝統的に記念月は社内に飾り付けをすることになっている。小学校の学芸会とか、お誕生生会を想像してもらえばよろしい。現在、支社のオフィスの中には天井からビニールの色鮮やかなヒトデとマンボウが大量にぶらさがっている。「季節感のあるもの」と言われた新人の男の子が合羽橋《かっぱばし》で調達してきたのだが、妙にリアリズムに走っており、「なんだか不気味だ」「支社に行くと営業意欲が落ちる」と評判は散々だった。

北条和美《ほうじょうかずみ》はイライラと支社長席の後ろの壁かけ時計の針を見つめていた。支社長以下役付は、各営業部に成績の最終状況を確認しに出かけている。

時計の針は、今午後一時二十分。壁かけ時計の下には、関東生命が資金を提供して毎年夏休みに大劇場で上演する子供ミュージカルの赤いポスターが貼ってある。

『エミー』というそのミュージカルは、翻訳ミュージカルらしく、にっこり笑ったキャストたちが似合わない金髪のかつらを着けていた。みなしごの娘がけなげに世を渡り、意固地な大人たちの心を開いていくという話らしい。去年スポンサーチケットを手に入れ、四人の子供を連れて見に行った支部長に「面白かった？」と尋ねたら、「いやあ、大劇場の座席は寝心地がいいね」という返事だった。このポスターが社内に貼り出される頃はいつも七月戦でカリカリしているので、『エミー』に罪はないがどうもこのポスターを見ると腹が立つ。

今月の契約はあらかた出尽くしてしまったので、今は待つしか仕事がない。同じチームの新契約担当の女の子たちにも、既に戦いのあとのげっそりした雰囲気が漂っており、落ち窪《くぼ》んだ目で本社に送る契約書類を黙々とチェックしている。最後に来る滑り込みの契約は、チーフである和美が処理することになっている。ぎりぎりに来る契約を待っているのはくたびれる。到着するまで何もできないし、来たら来たで支部長たちに追い立てられて時間との競争だ。

このオフィスビルは老朽化しているため、空調の利きが悪い。七月の蒸し暑い午後、当然冷房は入っているはずだがどことなく空気が濁っていて、疲労に拍車を掛ける。

事務服のブラウスの袖《そで》に、赤いインクが付いているのを見つけて、制服をクリーニングに出さなくちゃ、と考えた。この中途半端な制服のデザインはなんとかならないだろうか。ボックスプリーツのすそに付いたお昼のパン屑《くず》を払う。そもそも、十八歳から六十歳まで同じデザインの制服を着ているというのに無理があるのだ。もっとも、年齢でデザインなど変えたら、差別だセクハラだと女子社員から抗議が殺到するだろうが。

「ユーコ」

和美が近くを通りかかった入社二年目の田上優子《たがみゆうこ》に声を掛けると、真ん丸の目が勢いよく振り向いた。

「はいっ」

小柄でショートカットの彼女は愛らしく、子供の頃から柔道一直線だった熱血少女だとは見た目には分からない。いつもはきはきとして元気よく、いい奴なのだが、沸点が低くやたらと一本気なのが玉に瑕《きず》だ。

「ね、もう少ししたらみんなに何か冷たいお菓子でも買ってきて」

「えっ、嬉《うれ》しいっ。いいんですかっ」

和美が財布から五千円札を取り出すと、優子はぱたぱたと小さく跳びはねた。

「うん。うちのチームと、あと経理の女の子の分」

「なるほど。賄賂《わいろ》ですね」

「気配りと言って」

優子は手で小さくマルを作ると、和美から受け取ったお札をポケットに入れた。

突然、窓の外が白く光る。

「やだ、雷？」

社員たちが肩をすくめ、窓の外を見る。気付かないうちに、空が暗くなっていた。なるほど、この蒸し暑さはそのせいだったのか。暫《しばら》く間を置いてゴロゴロと遠雷が響いた。まだかなり遠いようだ。

「雨降るかもね」

和美と優子は支社長席の後ろの窓から外を見降ろした。大通りを足早に行き交う人々がミズスマシのように眼下を動いている。

「じゃあ、今あたし手が空いてますから、雨が降らないうちに買ってきますっ」

優子が両手で握りこぶしを作り、大きく頷《うなず》いた。

「そう？　頼むわ。気を付けてね」

「はいっ。北条さん、何か食べたいものありますか？」

「優子に任せるわ」

「頑張りますっ」

優子は予定表の自分のネームプレートのところに『外出』の札を貼ると小走りにオフィスを出て行った。

その姿を見送っていると、また小さく空に閃光《せんこう》が走った。ゴロゴロという地鳴りのような遠雷のいる場所を見つけようとするかのように、和美は腕組みして外に鋭い視線を投げた。

2

『エミー』に罪はない。だが、『エミー』なんか大嫌いだ。

鮎川麻里花《あゆかわまりか》は爪を嚙《か》みながら、冷たいスチールの椅子に腰掛けて順番を待っていた。

集合時間より三十分も前に着いたのだが、控え室は込み合っていた。

「麻里花、爪を嚙むのはよしなさいって言ったでしょ。お行儀が悪いし、欲求不満みたいに見えるよ」

隣の席で母親の明子が視線を向けずに低く注意する。

「分かってる。審査員の前ではしないよ」

「そう？　そういうのって、無意識のうちに出るんだよ。このあいだのオーディションの時だって、麻里花、出てくる時に爪嚙んでたよ」

「終わった時でしょ。ちゃんと分かってるよ」

麻里花はいらいらしながらブスッとした声で呟《つぶや》いた。明子も、麻里花が神経質になっているのをこれ以上逆撫《さかな》でするのはよくないと考えたのか、何も言わずに雑誌に目を戻した。

控え室はシンと静まり返っている。三十人ほどの小学生の女の子が、母親やマネージャーに付き添われて座っているのを見ていると、じわじわと緊張感が込み上げて来る。

今回の役は、エミーの孤児院時代の友達のサリー。麻里花はエミー役に二度目のチャレンジをしたが、三次選考で落ちていた。去年は一次で落ちたんだから、進歩してるよ、麻里花。来年はいけるかもよ。明子はそう言って慰めたが、自分以上にがっかりしているのはよく分かっていた。

もうすぐ夏休みだし、『エミー』の舞台はとっくに立ち稽古《げいこ》に入っている。サリー役の子が急病になって、急遽《きゆうきよ》オーディションが設けられたのだ。出番は少ないし、地味な役だが、それでも関東劇場に二週間立てるとあって、競争率は高かった。『エミー』の選考で落ちた二次選考と三次選考の候補者が集められているらしい。麻里花は正直なところ、もう『エミー』に関係したものはこりごりだったのだが、明子があまりに熱心なので、渋々折れる形でこのオーディションにやってきた。

いつのまにか明子は雑誌の記事に夢中になっている。何気ないふりを装っているが、目はかなり真剣だ。よく明子が手にしているその雑誌は、見た目には真面目そうな雑誌に見えるけれど、中身はやたらと『読者の手記』というものがあって、パパに言わせると本当は嫌らしい雑誌らしい。その証拠に、前に麻里花がページを開いて『もう二十年も私に手を触れない夫』というところを読んでいたら、明子は物凄《ものすご》い勢いで麻里花の手からその雑誌をむしり取ったのだ。

控え室というところは、いつも息が詰まり、無言の圧迫を覚える。特に、この関東劇場の大きな控え室は、古めかしい石造りの厚い壁が何もかも吸いこんでしまいそうで、なんだか怖い。

早く外に出て、濃い緑の続く皇居のお堀ばたを歩きたいな。

麻里花は小さく溜《た》め息をついた。オーディションが終わったら、帝国ホテルでお茶を飲もう、と明子と約束している。

オーディションはいつも逃げ出したくなる。早く順番が来ないかなという気持ちと、永遠に自分の番が来なければいいという気持ちがぶつかりあっているのだ。

麻里花は四年生。大田区の公立小学校に通っている。この六月で十歳になったばかりだ。歌ったり踊ったりは幼稚園の頃から好きだったけれど、明子と子役のオーディションに足しげく通うようになったのはここ二年くらい。一応中堅の児童劇団に属してはいるが、それはオーディションの情報を得るためだ。続けて何本かのCMに出られたことがあって、明子はすっかりその気になった。麻里花も一時は熱心にレッスンに励んでいたが、最近はなんとなく憂鬱《ゆううつ》になってきている。

確かに、小学校のクラスの友達と比べれば麻里花は目立つし可愛い子だ。すんなりと伸びた手足、小さな顔におっとりした上品な目鼻、柔らかい茶色のロングヘア。音感だって、運動神経だって悪くない。でも、そんなのは当たり前なのだ。こうして控え室で待っている女の子たちは、それを最低ラインとしてここに座っている。それだけじゃ駄目。もっと特別な何か、もっときらきらしたいいものを持っていないと選ばれないのだ。そして、麻里花は最近自分にその『何か』があるとは思えなくなってきているのだった。

子役のオーディションにはたくさんの常連がいて、中でもいつも選ばれる子というのはだいたい決まっている。例えばあの玲菜《れいな》ちゃんがそうだ。麻里花より一歳上だが、このところめきめき力を付けてきている。まだそんなに役を得られているわけではないのだが、彼女はこの世界では有名で、オーディションに彼女の姿があれば他の候補者たちはがっかりする。確かに、何十人もの女の子がいたとしても、彼女は目立つ。同年代の麻里花から見ても、すうっと彼女に目が吸い寄せられるのだ。派手な性格ではないし、むしろおとなしい子なのだが、確かに玲菜ちゃんには『何か』がある。玲菜ちゃんは選ばれる子供なのだ。

麻里花は『もうそろそろ』、と考えている。何が『もうそろそろ』なのかは本人にもよく分からないのだが、何かを決める時が近付いているような気がするのだった。

ドアが開いて、また一組の親子が入ってきた。随分ゆっくりだな、と麻里花は思って顔を上げたとたんギョッとした。

黒いショートカットの、大きな目の少女が母親と入ってくる。

都築《つづき》玲菜だ。

あの子がこのオーディションを受けるなんて。

控え室が一瞬ざわついた。他の候補者も玲菜が入ってきたことで動揺しているらしい。

明子がふと顔を上げ、やはりぎくっとした顔になるのが分かった。玲菜は麻里花の顔を見つけ、嬉《うれ》しそうに手を振る。麻里花はひきつった笑みを返し、手を振った。

玲菜ちゃんはこういうところも違うのだ。彼女はいつも自然体で、他の候補者のようにガッガツしていない。どんなに可愛くても『すれた』子は嫌だ、とよく大人たちが言っているのを聞く。玲菜ちゃんはそういう点でも魅力がある。いつもナチュラルで、ちょっと引っ込み思案な感じがするのが『子供らしい』『神秘的だ』と大人たちに受けるのだ。

麻里花は膝《ひざ》から力が抜けるのを感じた。明子が隣で神経質に雑誌のページをめくる気配がする。明子も、強敵の出現に焦っているのだ。

どうしてだろう。どうして玲菜ちゃんがサリー役のオーディションに。なんでも、単発のテレビドラマへの出演が決まっていて、『エミー』とは時期が重なるから『エミー』のオーディションは受けていなかったはずなのだ。

「麻里花ちゃん、久しぶりね」

玲菜の母親が声を掛けてきた。母親はでっぷりとしていて、あまり玲菜と似ていない。

「こんにちは」

麻里花は頭を下げ、明子が愛想笑いを返す。

「まあ、玲菜ちゃんも受けるの？　テレビドラマに出るって言ってなかった？」

明子の声にかすかな苛立《いらだ》ちがあるのを、麻里花は聞き逃さなかった。ママも同じことを考えていたのだ。

「ええ。出番が少ないので、もうこの子のところの撮影は終わっちゃったんですよ」

おっとりとした余裕のある声で玲菜の母親が答える。

「で、舞台もいいなと思って。知り合いがこのオーディションを勧めてくださったものですから」

「まあ。エミー役のオーディションは受けてらっしゃらなかったですよね？」

舞台もいいなと思って、という一言にカチンときたらしく、明子の声が硬くなる。

「ええ、時期的に無理だと思ったものですから。でも、知り合いのプロデューサーが『エミー』のスタッフとも親しくて、玲菜ちゃんも受けてみないかと紹介してくださったんですよ」

周囲の空気がとげとげしくなるのを感じる。プロデューサーと知り合い。それが大きなコネになるのはみんなが知っている。他の候補者たちも、玲菜の母親の話に耳を澄ましているのがよく分かった。

ドアが開き、オレンジ色のシャツに黒のパンツ姿という若い女性が入ってきた。

不穏な空気がリセットされ、候補者とその付き添いたちが居住まいを正して正面を向く。

「皆さん、本日は関東生命ファミリーミュージカル『エミー』の、サリー役オーディションにお集まりいただきましてありがとうございます。最初に簡単な振り付けとダンス、次にお一人ずつ歌と台詞《せりふ》をお願いすることになります。早速ですが、時間もないことですし始めさせていただきます。一番から十番までの皆さん、ステージの方にいらしてください」

ざわざわと控え室の中が騒がしくなり、ガタガタと椅子を動かし立ち上がる音が響き渡った。

麻里花はおなかの真ん中辺りがきゅっと縮むような感じがした。

「麻里花、何番？」

明子が真剣な目で麻里花の胸のバッジを覗《のぞ》き込む。バッジには大きく番号が書いてある。

「二十七番」

「あ、あたし二十九番。麻里花ちゃん、一緒の組だね」

近くに座っていた玲菜がはにかむように自分の胸のバッジを指差した。

「よろしくね、麻里花ちゃん」

玲菜の母親がにっこりと勝ち誇ったような笑みを向けてくる。

明子と麻里花は一瞬押し黙ったように、玲菜の胸のバッジを見つめ、どちらからともなく青ざめた顔を見合わせた。

あたしに罪はない。悪いのはあいつだ。

あたしがそれをするかしないかは、あいつの態度次第だ。

3

アーチ型の古めかしい窓の向こうは、どんよりと雲の垂れこめた丸の内のビジネス街である。その黒ずんだ空は、今の自分の心をそのまま映し出しているかのようだった。

東京ステーションホテルは、赤レンガで出来た東京駅の一部となっている。

東京駅の丸の内側には北口、中央口、南口と改札があるが、中央口と南口の間にホテルの入口があり、フロントを左に見て階段を上っていくと、二階にバーとレストランがある。廊下を進むと、大きな窓があって、駅のアナウンスが聞こえてくる。ホテルの中央は、ちょうど丸の内南口改札を見下ろす形で吹き抜けになっており、吹き抜けを囲むようにぐるりと長い廊下が続いているのである。その廊下に、イタリアンレストランに隣接した短いカウンターがある。このカウンターに腰を下ろせば、目の前には丸の内のオフィス街を見下ろせる。また、立ち上がって後ろを振り返れば、南口改札のコンコースを行き交う人々を一望できるのだ。このカウンターで、昼はコーヒー、夕方からはお酒が飲める。

一人の女が、そのカウンターの一番はじに腰掛けていた。他に客はない。

浅田佳代子《あさだかよこ》はじりじりとしながら、カウンターに腕を押しつけていた。神経質にサングラスをいじりながら、窓の向こうで建て替えの進むビルを見つめる。

煙草が吸いたかったが、吸い殻を残していくわけにはいかなかった。

運ばれてきたコーヒーにも手をつけず、カウンターにも手を触れないように気をつけている。だが、念には念を入れて、彼女は指に細工をしてきていた。絆創膏《ばんそうこう》の肌色の部分を小さく切って、指紋を覆うように十本の指先に貼ってきたのである。傍目《はため》には、そんなものが貼ってあると気付かないだろう。だが、この蒸し暑さだ。人間はやはり多少は皮膚呼吸をしているのだろうか。指先が塞《ふさ》がれていると、どことなく息苦しい感じがして、先程からイライラが強くなってきていた。とっととこの絆創膏を剝《は》がしてしまいたい。

佳代子はふうっと震えるように溜《た》め息をついた。

もうランチタイムも終わりに近付き、カウンターに隣接した小さなイタリアンレストランには客の姿はほとんどない。若い従業員たちも、忙しい時間が過ぎてホッとしたのか、集まって談笑している。カウンターの隅でコーヒーを注文した女のことなど、誰も気に留めていないだろう。

今日はわざわざ派手なスーツにしてきた。鮮やかなピンクのスーツだが、この上着を脱ぐとただの白いTシャツ、膝の隠れるスカートの下には黒のスパッツを穿《は》いている。一回り大きなサイズのスーツにしたのは、下にこの上下を着るためだ。

従業員たちの記憶に残るのは、鮮やかなスーツの上下を着た、年齢不詳のサングラスの女。この細長いカウンターの通路のすぐそばに、外に出られる階段があるのは確認しておいた。助けを呼びに行くふりをして、すぐドアを開けて駆け降りれば、駅の雑踏の中だ。階段を降りながらスーツを脱ぎ、紙袋に突っ込む。サングラスもとって、髪を結わえる。これで、私がカウンターに座っていた女と同じ人物だと思う者はいないだろう。丸の内南口改札はすぐそこ。イオカードで改札をくぐり、目についた電車に乗り込めば誰もあたしのあとを追ってはこられない。もしくは、目の前の東京中央郵便局に飛び込むという手もある。カウンターを離れた瞬間、もうピンクのスーツの女はこの世から姿を消すのだ。

人の目は当てにならない。数十万人もの人間が出入りする東京駅の中で、一人の女を捜すのがどんなに難しいかは自明の理だ。あたしはその中に消えてみせる。

予定のない週末を潰《つぶ》すためにふらふらと東京駅を歩き、この場所を見つけた時からあたしの計画は具体化した。複雑な計画はよくない。さりげなく、シンプルな計画が成功するのだ。

あたしはスーツのポケットにそっと手を当てた。

ここにあれがある。そして、ことと次第によっては一時間以内に、これはあの男に自分の罪を思い知らせてくれるだろう。

4

「長らくのご乗車、お疲れさまでした。間もなく終点、東京です。このバスは東京駅八重洲南口に到着いたします。どなた様もお忘れ物のございませんよう、今一度ご確認くださいｏ東京です。ご乗車ありがとうございました」

視界がぐるりと動き、バスは大きくカーブを切った。東京駅の茶色い巨大なビルが目の前に迫ってくる。

車内にホッとしたようなざわめきが起こり、乗客たちが身体を伸ばし、降りる支度を始めた。週末を利用して東京で買い物をしたり、ディズニーランドに行くのだろう。若い女性グループの乗客が華やいだ声を上げている。

ビルの群れ、ぎっしりと道路を埋める車。不景気だ不景気だと言うけれど、この消費欲に燃えた女性たちや道行く人々の手荷物を見るに、やはり東京というところは年中お祭り騒ぎをしているようにしか思えない。

バスの中から外を眺めながら、吾妻俊策《あづましゅんさく》はいささか緊張していた。ソフトの中折れ帽の似合う、中肉中背の品のいい老人である。彼は、口の中で「動輪の広場、動輪の広場」と繰り返していた。そこで、初対面である俳句仲間の山本たちが待っているはずなのだ。

バスが停まり、扉が開く気配がした。さっと騒がしい空気が車内に流れ込んできて、乗客たちがどやどやと立ち上がった。たちまち入口は込み合い、通路に客が並ぶ。

俊策は、荷物を確認した。小さな革のボストンバッグと、『どらや』の黒い紙袋。中身は畳んだ上着と俳句仲間への土産だが、妻がこの袋の店で栗羊羹《くりようかん》を買ってきてくださいねと、目印に持たせてくれたのである。

「なんだか雨降りそー」

「真っ暗じゃん」

「やだー、傘持ってこなかったよー」

やたらと背が高い娘たちが叫んでいると思ったら、それはやけに底の分厚い靴を履いているせいだと気付いた。とても同じ日本人には思えない。もしかすると、日本人ではないのだろうか？　俊策は耳を澄ました。聞き取りにくかったが、やはり日本語を話している。

「ギャー」

突然、甲高い叫び声を上げて目の前にいた娘が消えた。

「うそー」

「いったーい」

「やーん」

バスのステップに躓《つまず》いて、娘が前に歩いていた乗客もろとも転んだのである。

恐る恐る俊策がバスを降りると、そこには茶色い髪の娘と、やはり茶色い長髪の若い男が折り重なるように倒れていた。若い男は、娘のクッションになったらしい。

娘は慌てて立ち上がった。彼女の下着が丸見えだったのに、俊策は顔を赤らめ、目を背けた。ピンクだった。

「ごめんなさーい」

「お客さん、大丈夫ですか」

若い男はなかなか起き上がらない。彼の周りに紙袋が散乱していた。それはそうだ、もろにあの靴で蹴《け》られて倒れたのだ。心配して降りてきた運転手と共に、俊策は自分の荷物を地面に下ろしてその男を助け起こした。

「うう、いててて」

サングラスのつるが折れている。やけに痩《や》せた、顔色の悪い男だった。若いようでもあり、意外といい年のような気もする。孫の信一よりも年上だろうか。無精髭《ぶしょうひげ》がその顔色の悪さを余計際立たせている。

やがて、男はハッとしたようにキョロキョロ辺りを見回した。

「あ、あ」

男は散乱している紙袋をかき集めると、逃げるようにその場を立ち去っていった。

残された俊策たちはあっけに取られる。

「とりあえず、怪我はないようですね」

「そのようですね」

運転手と俊策は苦笑しながら小さく呟《つぶや》いた。

「ごめんね、おじいちゃん」

真っ黒な顔に、白っぽい口紅を塗った娘が俊策に頭を下げた。見た目は日本人に見えないが、意外と気のいい娘のようだ。

俊策は気にするなというように会釈を返すと、自分の荷物を持ち上げた。

ふと、違和感を覚える。『どらや』の紙袋の位置が、置いた時と違っていたような気がしたのだ。

5

「あたしの読みでは、今度の犯人はこいつだと思うな」

「俺はこっちだな。でも、最近は単独犯を避けて、意外な共犯関係という路線があるからなあ。パート1はそれだったろ。前回と前々回は単独犯だったたし、今度は共犯かも」

「パート4だからそろそろ主人公が犯人というパターンもありかもよ」

「今回主人公が犯人だったら、パート5はどうなるんだろうな」

「きっと脇役だった登場人物で一番人気があった奴をアンケートで調べて、今度はそいつが主人公になるのよ」

有楽町の古い映画館は、若いカップルや大学生のグループで六割ほど埋まっていた。

座席の最後列で、真ん中の通路を挟んで二人の若い男女が座っている。

森永忠司《もりながただし》と江崎春奈《えざきはるな》は入口で買ってきた『ナイトメア4』のパンフレットの登場人物表を見ながら、通路越しに興奮を抑えた口調で話し合っていた。パンフレットの表紙には、「絶対にこの犯人は当てられない!」という大きな文字が躍っている。

『ナイトメア』は、若い客層を狙ったジェットコースター感覚のB級ハリウッド映画である。売り出し中の若手俳優を総動員した高校生グループが、奇妙な仮面を付けた謎の殺人鬼と戦うという話で、そこそこの数字を稼げるこの手の映画らしく、次々と続編が作られていた。パート1は高校のキャンパス、パート2は夏のキャンプ場、パート3は雪の山荘が舞台だった。もちろん毎回真犯人は身近なメンバーの中にいるのだが、脚本も手掛けている監督はホラー映画とミステリマニアらしく、いつも派手などんでん返しを仕掛けるので、日本のミステリファンにも熱い支持を受けていた。

今回のパート4は新興のアミューズメント・パークが舞台らしい。主人公は当然ながらグラマーで美人の女の子である。年に一回ずつ、既に三回も友人のほとんどを殺されているというのに、立ち直りの早い女だ。

忠司はチラリと隣に座っている春奈の横顔を見た。レンズのひらべったい流行《はや》りのタイプの眼鏡を掛けている彼女は、落ち着いて見える。

ちぇっ、こいつ、リラックスしてるな。

忠司は自分が少し緊張していることに苛立《いらだ》った。何度もパンフレットをめくっているので、紙が汗で温かくなっている。

負けるわけにはいかないぞ。彼は自分に言い聞かせた。

春奈は春奈で、平静を装っていたものの、忠司の様子を全身の神経を集中させて窺《うかが》っていた。彼のトレードマークであるニューヨークメッツの帽子の下の目は、静かな自信に溢《あふ》れているようだ。

やあね、悠然としちゃって。あたしなんかに負けるはずがないっていうのかしらん。失礼しちゃうわ。

パンフレットを握る手に、思わず力が入る。

「ね、コーラかなんか飲む？」

春奈は気楽な声を出すと、にっこりと隣の忠司に微笑みかけた。

「ん、いいね。俺が買ってこようか？」

忠司も余裕の表情を見せて笑ってみせる。

「いいわよ、あたし行ってくる。サイズ、大きい方がいい？」

「小さい方でいいよ」

「ＯＫ」

春奈は頷《うなず》いて席を立つ。立った瞬間、自分が思ったよりも緊張していることに気が付いた。身体が強張《こわば》っていて、映画館の赤い絨毯《じゅうたん》を歩く足がなんだかうまく動かない。

やだ、あたしったら。落ち着きなさいよ。こんなことで今から緊張しててどうすんのよ。別にこの映画だけで決まるわけじゃないんだから。

込み合う売店でスモールサイズのコーラを二つ買うと、春奈は関連グッズを売っているロビーをぶらぶらした。目指す二人を見つける。煙草を吸いながら談笑している若い男にゆっくり近付いていくと、二人も春奈に気付いた。ひょろりと痩せた黒いＴシャツの男がにやりと笑って手を振る。現幹事長の蒲谷《かばや》だ。

「よっ、春奈ちゃん。自信のほどはどうだい？」

「まあまあね。ちゃんと公平に見ててよ」

「任せとき」

「蒲谷さんは、もうこれ見たんだっけ？」

「試写会で見た」

「どうだった？」

「だめだめ、春奈は勘がいいから下手に感想を言うとバレちまう」

「そんなことないよ。教えてよ」

「ノーコメント。では後ほど」

蒲谷はにやにや笑いながら首を振る。春奈は小さく肩をすくめると客席に戻った。

ちぇっ、さすがにガードが堅いや。何かヒントになるようなことを言うかと思ってわざわざロビーまで出てきて蒲谷さんを捜したのに。

春奈は席に戻り、忠司にコーラを渡した。

「サンキュ。いくら？」

「三百五十円」

「はいよ」

忠司は小銭を春奈に渡す。春奈は自分の席に腰を下ろし、二人は暫《しばら》く無言でコーラを飲んだ。ストローでコーラを吸い込む音が重なりあう。

上映開始時間が迫ってくる。期待に興奮している客たちが、笑いあいながら次々と入ってくるのを、二人はじりじりした表情でぼんやりと眺めていた。

大きな音でベルが鳴り、二人は同時にビクリと全身を震わせた。ロビーにいた客がぞろぞろと客席に流れこんでくる。蒲谷と副幹事長の亀田が入ってきた。軽く会釈をすると、二人を挟むように、それぞれの隣の席に腰掛ける。

「よろしいですね、お二人さん？」

蒲谷が二人の顔を交互に見た。二人は小さく頷く。蒲谷は前を向いた。

「では、これより第一ラウンドを開始します」

再びベルが鳴り始めた。

6

東京駅の丸の内南口を出てすぐのところにある横断歩道を渡ると、その角には白いタイル貼りの大きな古いビルがある。東京中央郵便局である。角を正面に見て、左手の有楽町方向に歩けば、郵便局の東門が右側に見え、中を覗《のぞ》くと、ずらりと赤い郵便用のトラックが並び、あかあかと照らされた作業場ではひっきりなしに荷物が積み込まれ、殺気だった勢いで次々とトラックが出ていくのを見ることができるだろう。この東門の前辺りは、一日に数十万人もの人間が出入りする東京駅のすぐそばとは思えないほどに意外と人気がない。人通りもまばらで、道もがらんとしている。斜めに赤い線の入った、団体専用の黄色い二階建てのはとバスが、行儀よく何台も並んでいるが、まだ集合時間ではないのか静まり返っている。中で運転手が欠伸《あくび》をし、居眠りをしながら客が戻ってくるのを待っている。

が、ここで注目したいのははとバスでも郵便トラックでもない。先程の角にもう一度戻り、右手の丸の内方向に目を向けてみよう。郵便局の建物を囲むように小さな植え込みが続いているのだが、そこに小さな石像がある。正確に言うと、石の台座の上に、石像が載っているのだ。よく見ると、地球の上に、ラッパを吹いている天使が座っている。こんなところになぜ地球と天使の石像が？　そう思ってさらに近付いて見ると、台座の脇にプレートが貼ってある。郵便物の回収時間だ。実は、これはポストなのだ。石造りの台座の部分が郵便ポストになっているのである。ポストの差出口の上には文字が彫ってある。

『郵便は世界を結ぶ』

なるほど、だから天使は地球の上に座っているわけなのだ。世界の人々に郵便を運ぶ天使は、高らかにラッパを吹き鳴らしている。酸性雨と排気ガスのせいか、すっかり暗い緑色に汚れているが、天使は地球の上に座っているし、郵便は世界を結ぶのである。それは実に素晴らしいことだ。そして、今また空は気まぐれな夏の雷に光り、彼を雨で叩《たた》こうとしている。だが、天使はそれに動じる様子もなく、ラッパを空に向けている。郵便は世界を結ぶ。だから、こうしてポストは、自分の使命を信じて、いつもじっとそこで手紙が来るのを待っているのである。

7

ガーッ、という音がしてカーテンが開き、場内は暗くなった。スクリーンにコマーシャルが映し出される。浜辺で渡されるダイヤモンドの指輪。人気女優が肌に塗ってみせる、夏向きのリキッドファンデーション。大音量で購買意欲を刺激するアメリカ製のカジュアルウエア。

だが、忠司はそれらのコマーシャルを見てはいても、全く受け止めてはいなかった。頭の中では必死に幾通りもの可能性をめまぐるしく検討している。

映画館に着いた時、もう映画を見ている幹事長の蒲谷にさりげなく感想を聞いたが、にやにや笑うだけで何も答えてくれなかった。彼の感想を聞ければ、犯人を当てる何かの手掛かりになるかと思ったのに。例えば『掟破《おきて》りだ』とか『驚いた』だけでもいい。『掟破り』だったら、通常の犯人当てから外れたとんでもない結果であるという予想ができる。また、彼が『驚いた』というのならば、よっぽど意外な結末だということだ。だが、彼は自分の言葉が忠司のようなミステリマニアにはどんなものでもヒントになってしまうということをじゅうぶん承知していたようで、全く何の手掛かりも与えてはくれなかった。さすがは幹事長だ。

忠司はパンフレットの中の登場人物表をもう一度思い浮かべた。だいたいメンバーは一通り頭に入っている。前作からの常連が幾人かと、新しい人物が三分の二。自分が監督だったら、どれを犯人にするだろう？

これほど真剣に犯人を考えるのは随分久しぶりだった。春奈も今ごろ必死に犯人を読もうとしていることだろう。

思えば因縁の深い相手である。入学して間もなくの、最初の連合会で同じテーブルに座ったのが運のつきだった。もっとも、あそこで顔を合わせなくてもいつかは必ず衝突していただろうが。あれから二年。あっという間だった。まさか二人で幹事長の椅子を争うことになろうとは。

つかのま感傷に陥りそうになっていたことに気付き、忠司は気分を引き締めた。いかんいかん。こんなことを考えているわけにはいかない。

ドルビーサウンドで映画の予告編が始まった。『特報！』のおどろおどろしい声が腹に響く。

ふと、彼はその声を聞いてパンフレットの表紙の言葉を改めて思い起こした。

「絶対にこの犯人は当てられない！」

あれはどういう意味なのだろう。日本の配給会社が付けた宣伝文句ではなく、向こうでの公開時からのキャッチフレーズだったらしい。『ナイトメア』の監督はとにかく凄《すさ》まじいミステリおたくだと聞いている。監督本人もすれているから、よほどの自信がないとあの惹句《じゃっく》を使う気にはならないはずだ。ということは、やはりミステリマニアが考える範囲以外の『掟破り』の結末だということになるのではないか。

忠司は暗闇の中で、ヒーローと美女が大爆発の中を脱出しようとする予告編の場面を見つめていた。

一方、隣の春奈もパンフレットの表紙の言葉を思い浮かべていた。

「絶対にこの犯人は当てられない！」

それはなぜなのだろう。単純に考えれば意外な犯人だから、ということになるのだが、今日びそんなことはなかなか困難だ。推理小説だって、これだけトリックも『意外な犯人』も量産され研究され尽くしている現代、読者をあっと言わせることはますます難しくなってきている。その点が、あたしと忠司との対立の一因になっているのだ。真にオリジナルなトリックを求めるのか、組み合わせや演出がよければ新しいと認めるのか。本当に、この男、頑固なんだから。真に新しいトリックなんて、もう存在するはずないじゃないの。それに、いくらトリック自体が斬新《ざんしん》だったとしても、それをうまく生かせていない古典作品は幾らでもある。オリジナルなアイデアがあっても、小説としてよくできていないんじゃ商品としては落第だ。スマートな演出で、凡庸なトリックをきれいに使っていればそれはそれで良い商品なのではないか。映画だって、同じストーリーを何度もリメイクして使っているけれど、その都度新しいお客を呼び込んでいるではないか。その点で、忠司と自分とは大学入学当時から平行線を辿《たど》っているのである。心の中で溜《た》め息をついた春奈は、慌てて『ナイトメア4』の方に意識を引き戻した。

ミステリファンがいかにすれているか、自分もマニアである監督に分からないはずはない。ならば、「絶対にこの犯人は当てられない！」というのは、別の意味なのではないか。ひょっとすると、「物理的に」犯人を当てることができないという意味なのではないだろうか――例えば、『スター・ウォーズ』みたいに、「次回に続く」という形でうやむやに終わってしまうとか――もし、そういう場合だったら犯人当ては成立しなくなる。その時は、この対決はどうなるんだろう？

春奈は闇の中でチラリと隣に座っている蒲谷を見た。蒲谷は静かに画面に見入っている。いや、そんなはずはない。春奈は考え直した。

だったら、この映画を既に見ている蒲谷がこの映画を犯人当てゲームの問題に選ぶはずがない。「犯人を紙に書いて渡すこと」と言ったではないか。

うん？

そう思い出してから春奈は自分の中に何かが引っ掛かっていることに気が付いた。

待てよ、本当に蒲谷はそう言ったのだろうか？　よく思い出してみよう、彼は「犯人を紙に書いて」と言ったのかな？　春奈は必死に記憶を手繰り寄せる。

「真相を」。

そうだ、「真相を紙に書いて渡すこと」。こう言ったのではなかったか？

カッと全身にアドレナリンが駆け巡った。

そうだ、「真相を」と言った。「犯人を」とは言わなかった。蒲谷は何よりも推理小説に「フェアプレー」を望む男だ。だから、自分の発言にも「フェア」であることを心掛けている。彼が「真相を」と言ったのは、それなりの意味があったからに違いない。これだ！

恐らく、今回の『ナイトメア』は、厳密な意味での犯人がいないのだ。きっと、この方向が正しいのではないのだろうか。

春奈は闇の中で興奮した。

このことに忠司も気付いただろうか？　そっと通路を挟んだ席の忠司を見るが、彼は帽子を目深にかぶったままスクリーンを無表情に見つめているだけだ。

画面が暗くなり、更に一段とスクリーンの左右が広げられた。

春奈は座席に座り直した。いよいよ本編が始まるのだ。場内に、小さな咳《せき》払いがそこここで響く。

8

この日――七月下旬の金曜日は、真夏の到来を前にして、生臭く不穏な空気が空を覆っていた。ここのところ天気は安定せず、梅雨は終わったというのに連日墨を流したような薄暗い日が続き、午後になると雷や土砂降りが首都圏を襲っている。

『ナイトメア4』の上映が開始されるよりも一時間ほど前。

ここは東京駅から遠く離れた、千葉県佐原《さわら》市のとある幹線道路沿いである。

近くに住む五十二歳の主婦、宮本洋子《みやもとようこ》は季節外れの風邪に悩まされていた。

このところ、関節が痛いし、明け方の咳が止まらない。数年前にひどい風邪を引いて以来、少しの風邪でも呼吸器にくるのが嫌な感じだ。

午前中は少し晴れ間が覗いていたので、このすきにと溜まった洗濯物を干したのだが、また空模様が怪しくなってきたので、慌てて取り込んでいるうちにだんだん気分が悪くなってきた。

蒸し暑くて身体はほてっているのに、肌寒い。ひどい湿気も手伝って、気分は最悪だった。Tシャツが汗でべったりしていたのを取り替え、キッチンの椅子に座って冷ました緑茶を飲んでいると、ようやく気分が回復してきた。

子供たちが帰ってくる前に、薬を貰《もら》ってこよう。

洋子は重い身体を持ち上げ、葱《ねぎ》畑を十五分ほど歩いて幹線道路に出ると、古くから家族で世話になっている個人病院を訪ねた。

注射を一本打ってもらい、薬を貰って外に出ると気持ちの悪い風が吹いていた。乱暴に道路を行き交うトラックや乗用車の音が神経に障る。

洋子は人気のない歩道をとぼとぼと歩いて、牛乳と食パンを買おうと大きなコンビニエンス・ストアに寄った。近くの学校の下校時間にはまだ早いらしく、店内は空《す》いている。買い物を済ませて外に出ると、ほんの少しの間だったのに空は真っ暗になっていた。

雨混じりの強い風がビシビシと頬を叩《たた》いてくる。

雨に濡《ぬ》れることだけは避けたい。ここで濡れて家まで歩いたら、今までの経験から言って明日から寝込むのは確実だった。もうすぐ夏休み、しかも下の子は受験を控えて神経質になっているのに、自分が寝込むわけにはいかない。

重い頭でちらりと足元を見下ろすと、傘立てに古ぼけたビニール傘が差してあるのに気付いた。その様子から、随分長い間放置してあったものらしい。今店の中にいる客のものではなさそうだ。

洋子は店の中を振り返ってから、思い切って傘を手に取った。汚れていてビニールが一か所外れ、骨も曲がっているところはあるが、雨を凌《しの》ぐことはできそうだ。

洋子はその傘を拝借することにした。

葱畑を横断するのは至難の業だった。風がめちゃめちゃな方向に吹くので、しょっちゅう足留めされそうになる。ようやく家にたどり着いた時には、更に二か所のビニールが外れてしまっていた。

痛む身体をかがめ、洋子はポーチに傘を広げたまま干しておくことにした。家の中は洗濯物だらけでむっとしており、これ以上濡れたものを持ち込みたくなかったからだ。それに、傘はいかにもぼろぼろでみすぼらしく、家の中に置きたくなるような代物ではなかった。

洋子が遅い昼食を食べているうちに、風はますます強くなった。

ポーチは塀に遮られてはいたが、気まぐれに吹き込む風は徒《いたず》らに強く、広げてあったビニール傘はたちまち庭の方に押し出された。地面に着地した鳥が両足を広げてちょんちょんと跳んで移動するかのように、傘はつっかえたり飛び上がったりしながら、遠くへ遠くへと風に運ばれていく。

あっという間に、傘は葱畑の上を舞い上がった。何かに導かれるかのように、傘は洋子の家から遠ざかっていく。

だだっぴろい畑の上を傘はするすると飛んでいく。小さな竜巻に押し上げられたり、押されたりしてきまぐれな旅を続けている。

その行く手に、白いコンクリートの壁に囲まれた高架線が見えてきた。

9

田上優子はエレベーターを降りて外に出たものの、暫《しばら》くの間迷っていた。

銀座方面に行くべきか、東京駅方面に行くべきか。

銀座方面に行けば、デパートがたくさんある。松屋や三越の地下に行けば、お菓子は幾らでもある。だが、このところ彼女が一番気に入っているお菓子は東京駅に入っている大丸東京の地下にあるのだった。しかも、今話題の、流行《はや》り始めたお菓子だ。この時間ならば、まだそんなに行列はできていないはずだ。優子は最近何度かこのお菓子を手に入れようと試みていたのだが、会社帰りに行くと凄《すさ》まじい行列ができているか、売り切れているかのどちらかだった。優子は大変な甘党で、近ごろの甘さ控え目の上品なお菓子には少々物足りなさを感じていたのである。そこに登場したその毒々しい紫色のデニッシュは、久々に『甘いもの』を堪能《たんのう》させる、彼女にとっては理想的なものだった。近ごろTVや雑誌でも取り上げるようになったそのお菓子を買っていけば、話題にもなるし気の利いたお茶菓子として舌の肥えた先輩たちにも喜んでもらえるのは間違いない。もっとも、カロリーを気にする先輩たちだから、全部をあのデニッシュにするのはまずい。軽めのものと半々で買っていって、デニッシュはみんなに味見させせる程度にしておけば問題ないだろう。それとも、そういう気張ったものではなく、さりげなくあたりさわりのないものを買っていくべきだろうか。北条さんから預かった五千円をフルに使うわけにはいかない。せいぜい三千円まで。二千円はおつりとして返したい。だとすると、あのデニッシュは結構高い。他のものを安くして、あまりデニッシュと差が出るのはまずい。食い物の恨みは恐ろしいから、配った時に高いものと安いものとの格差を感じるようではいけないのだ。あ、経理の十和田課長のことを忘れてた。あの人も、凄《すご》い甘党なんだっけ。いつも女の子たちがいただきもののおやつを食べているとじっと見ている。経理の女の子に配って、課長に配らないと後でちくちく仕返しされるという専らの噂だ。課長にはデニッシュを配るとしよう。まてまて、そうするとうちの課長にも配らないと僻《ひが》むかもしれないな。十和田課長に高いデニッシュで、うちの課長に安い他のお菓子だったら気が付くかしらん――でも、それを言うなら、支社長たちが帰ってきたらどうしよう。うちの課長は支社長席のすぐ前だから、お菓子が机に載ってたらすぐ分かる。七月戦の最終日なのに、課員だけにお菓子を配って上の人に配らないってのもまずいかなあ――とすると、合計何個だ。

優子の心は千々に乱れるのであった。

難しい。会社の人間関係ってほんとに難しいわあ。

優子は腕組みをして真剣な表情で考えた。銀座も、東京駅も、歩く距離はたいして変わらない。

でも、食べたい。

結局、最後に勝ったのは彼女自身の食欲であった。

ずっと食べてないし、やっぱり、あれが食べたい。

優子は両手でがしっと握りこぶしを作った。これは何かを決意した時の、彼女の癖なのである。

よし、やっぱり東京駅だ。

優子はジョギング体勢をとると、東京駅に向かって走り出した。

10

吾妻俊策は困っていた。

どうやら道に迷ったらしい。道というか——東京駅内でだが。

東京駅は巨大である。もし、彼が一万六千分の一程度の縮尺の地図を開いてみたならば、丸の内一丁目と二丁目とを合わせたのとほぼ同じくらいの敷地を東京駅が占めているのを知ったはずである。だが、彼の持っている時刻表の地図では、東京というのは駅の名前を示す点に過ぎず、筑波《つくば》の山麓《さんろく》で農業を堅実に営んできた彼にとっては、駅というのは改札がせいぜい二つで、見通しのきく場所なのである。もともと人がごちゃごちゃしたところは嫌いだし、自分の職業や生活にじゅうぶん満足していたから、彼はめったに遠出をしたことがなかった。その彼がわざわざこうして高速バスでここまでやってきたのは、数年前から始めた俳句のためである。

もともと趣味として詩歌を愛好してはいたが、子供たちが独立するまでは、自分で作ろうなどと考えたことはなかった。だが、サラリーマンをやっていた次男が会社を辞めて家族を連れて帰ってきたのは嬉《うれ》しい誤算ときっかけだった。彼らが農業を継いでくれた今、時間のできた俊策は、国語の教師をしていた幼馴染《おさななじ》みに勧められて、一緒に俳句を始めたのである。年々のめりこみ、友人の友人たちとインターネットを通じて俳句のサークルに入ると、日々農作業をしながらも一句ひねるのが習慣になった。これまで顔を見たことのない、ネット上で親しくなった俳句仲間と一度会って話してみたい、どこかに集まって句会をしたいと思うようになった。それがついに今回実現したのである。おじいちゃんオフ会やるんだってね、と孫に言われた時には意味がよく分からなかった。

そうして少年のように胸をわくわくさせて東京駅に降り立った俊策であったが、彼の行く手には迷宮のような、一つの町のような東京駅が立ちはだかったのである。

彼が待ち合わせ場所に指定されたのは、『動輪の広場』であった。だが、彼にとって不幸なことに、筑波からの高速バスが到着するのは、東京駅の八重洲南口だった。『動輪の広場』は、反対の丸の内側にあるのである。彼がバスから降り立った場所から『動輪の広場』までたどり着くには、ぐるりと遠回りをして東京駅の敷地の外側をなぞるように、かなりの距離を歩かなければならないのだった。

彼はそんなことを知る由もなかったが、とにかく『動輪の広場』目指して歩き始めた。看板や案内図も見たけれども、細かい字がよく読めないし、複雑で自分がどこにいるのかよく分からない。

実は、俊策はかなりシャイな人間であった。俊策さんはそのはにかんだような上品な笑顔がいいのだと、彼の妻は言う。だが、この場所ではその上品さも仇《あだ》になった。誰かに『動輪の広場』を尋ねたいのだが、気後れがして聞きにくいのである。しかも、みんな彼が知っている人間の速度の三倍くらいのスピードで肩を怒らせて歩いている。とてもじゃないけれど、声を掛けるきっかけがつかめないのである。

俊策は焦り始めた。背中を汗がつたい、どくどくと心臓が大きな音を打ち始める。

待っているはずの人々の名前がぐるぐると頭の中を回っている。

山本さん、白鳥さん、養老さん、雫石《しずくいし》さん。養老さんというのはいいお名前ですね、道理でゆったりとした福々しい句をお作りになられる。最初にそう声を掛けようとずっと考えていたのに。山本さん、白鳥さん、養老さん、雫石さん。山本さん、白鳥さん――

「何か、お探しですか?」

自分に向けられた声だと気付くまで暫くかかった。

少し経ってからハッとし、どぎまぎしながら声の方を振り向くと、優しそうな微笑みを浮かべた、ぽっちゃりした中年女性が立っていた。俊策には、その女性が女神のように輝いて見えた。やはりどこにでも親切な人はいるものだ。

「すみません、あの、ご親切にありがとうございます。『動輪の広場』というのを探しておるんですが」

俊策がはにかみながら口を開くと、その女性は一瞬きょとんとした。そのきょとんとした表情に、俊策は留意をすべきであったが、地獄に仏のような気分であった彼にそこまで気を回すのは無理だったと言えよう。

「どうらんの広場？」

ここで女性が正しく復唱できなかったことにも気付くべきだったが、彼はすっかりこの女性に頼りきっていた。

「なんでも、待ち合わせ場所としては有名なところだそうです」

「ああ、お待ち合わせですね。有名なところで」

女性はにっこり微笑み、大きく何度も頷《うなず》いた。俊策は心からホッと胸を撫《な》で下ろした。

「それでは、ご一緒しましょう。こちらですよ」

「お忙しいところ恐縮です。お時間は大丈夫なのでしょうか」

「お気遣いなく。広過ぎて分かりにくいですわよね、東京駅は」

二人はなごやかに話しながら歩き始めた。彼女の台詞《せりふ》は正しい。広過ぎて東京駅は分かりにくい。その台詞は正しいものの、彼女自身は自分の発言の内容をよく把握していなかったものと思われる。彼女も東京の人間ではなかった。単身赴任で東京に来ている弟が腎《じん》臓《ぞう》結石で入院していたので、週に一度、宇都宮から東京に通っていたのである。自分のよく通る場所は把握していたのだが、彼女も『動輪の広場』を知らなかった。しかし、東京駅での心細さはよく分かっていたので、同じ地方人として俊策の役に立ちたいと思ったのである。だからうろうろしている俊策に目を留め、声を掛けたのだ。それは彼女の人柄の良さを表している。

しかし、この年代の女性にありがちなことだが、彼女は俊策の言葉の一部分しか聞いていなかった。「待ち合わせ場所」で「有名なところ」である。同じ単語を使っても、取り出し方が違うと全然違う内容になってしまうことは、スポーツ新聞の見出しやＴＶのワイドショーを見ていればよく分かることである。彼女はその二つのみを記憶し、それを結び付けてしまった。それが自分の知っている場所であると思い込んでしまったのだ。

二人はにこやかに談笑しながら、地下に降りていった。そこは、彼女がかつて何度も親《しん》戚《せき》と待ち合わせをした場所だった。

「そちらですよ」

「おお、そうです、そうです」

確かにたくさんの人々が集まって待ち合わせをしているし、広場の奥には何やらモニュメントらしい黒い大きなものが置いてある。案内された俊策の方も、すっかりその場所に納得してしまったのである。

「ありがとうございました、ありがとうございました。弟さん、お大事に」

「いえ、どういたしまして。よいお時間をお過ごしください」

二人はぺこぺことお辞儀しあい、気持ち良く別れ、双方に満足のいく美しいひとときであった。

俊策はきょろきょろと人待ち顔の人々の間を歩いて回った。約束の時間を十五分ほど過ぎてしまったが、それらしき人々がいる気配はない。

遅れているのだろうか？　それとも、私が遅れているのを心配して、捜しに行ってしまったのだろうか？　俊策は何度も広場を歩き回り、四人くらいの男性のグループを探したが、やはり見当たらない。

俊策は、またしても強い不安が込み上げてきて、背中に汗が流れるのを感じた。

彼は、広場に着いた時、その奥に置かれている黒っぽいモニュメントをよく見るべきであった。

それは、大きな鈴だった。

親切な中年女性が彼を案内してくれたのは、東京駅の八重洲側で全国的に有名な待ち合わせ場所である、『銀の鈴』だったのだ。

11

田園地帯の上には、真っ黒な雲がスピードを上げて押し寄せる波のように走っていく。

ごうごうという音を立てて、育った稲穂の波の上を凶暴な風が渡る。

相変わらず、あちこち外れたビニールの透明な傘は、ぐるぐると不器用なダンスを地面や空中で踊り続けている。

遠くの空で閃光《せんこう》が走った。一呼吸置いて、ゴロゴロゴロという不穏な地響きが伝わってくる。

高架線の下から、ひときわ強い一陣の風が吹き上げた。

と、それに持ち上げられた傘がふうっと空高く浮き上がり、白い凧《たこ》のように空を舞った。

傘は雷鳴を伴奏に暫《しばら》く宙にとどまっていたが、一瞬風が止むと、ふいに表情を失い、動きを止めるとポトリと線路の上に落ちた。

12

川添健太郎《かわぞえけんたろう》も困っていた。

困っていたどころではない。真っ青だったと言っていい。

折れたサングラスをシャツの胸ポケットに突っ込み、痛む足を引きずって東京駅の構内に入って暫く歩いてから、そのことに気付いたのだ。

荷物の一つが、やけに軽いのは気のせいだと思っていた。しかし、一足ごとに、これは軽すぎる、こんなはずはない、もっと重いはずだという考えがむくむくと心に湧いてきて、ふとその紙袋に足を押しつけてみたのだ。

すると、紙袋はくたっと難なく潰《つぶ》れたのだ。

その瞬間、全身を冷たい恐怖が駆け抜けた。

『試作品』がない。

身体が文字通り冷たくなった。上半身から一斉に血の気が引いた。

なくしてしまった。そんな馬鹿な。

彼は柱の陰にひっ込むと、持っていた三つの紙袋を足元に置いた。確かにこの三つだ。

なるべく目立たないように、ありふれた紙袋を選んだ。

そして、この黒い紙袋にできたばかりの『試作品』を入れておいたのだ。

しかし、中にあったのは灰色の麻の混じった年寄りくさいジャケットと豆だった。

なんでこんなものが入っているんだ？　盗まれたのか？

男はしげしげとそのジャケットを広げてみた。前みごろに、『吾妻』と名前の縫い取りがしてある。

その瞬間、彼は何が起きたのかを悟った。

さっき、転んだ時だ。いや、倒された時だ。あのクソ女に蹴《け》り倒された時、荷物が散らばってしまった。確かめもせずに慌てて拾い集めた時に——

脳裏に、帽子をかぶった老人の姿が浮かんだ。

まじまじとジャケットの入っていた黒い紙袋を見る。『どらや』のロゴ。

きっとそうだ、あのじいさんの持ってた袋を持ってきちまったんだ。

健太郎の充血した目に、じわじわと恐怖の色が浮かびあがってきた。自分のしでかしたことの重大さに、胃袋がずしりと鉛のように痛む。

あのじいさんを捜さなければ。

彼は慌てて今来た道を戻り始めた。全身に汗が噴き出す。どうしよう、改札に入ってどこかへ行ってしまっていればアウトだ。ましてや、中を開けていたらどうすればいいのだろう。あのじいさんがあれを見てすぐに何か分かるとは思えないが、開けられた時点でこの計画はおしまいだ。全てやり直し。俺はいったいどんな目に遭わされることか。

健太郎は一瞬パニックに陥るのを感じた。

落ち着け。まだほとんど時間は経っていない。田舎から来たじいさんだ、まだそのへんにいるはずだ。

健太郎は血走った目できょろきょろ辺りを見回しながら八重洲南口の方へ戻っていった。いた！

ソフトの中折れ帽をかぶった小柄な老人の姿が目に飛び込んでくる。その姿を見つけた時、健太郎は自分の幸運を神に感謝したくなった。

老人はきょろきょろしていた。何かを探しているらしい。

健太郎は呼吸を整え、暫くその老人の様子を見守っていた。老人は、案の定、彼の黒い紙袋を手に持っている。あれだ。まだ、間違えたことには気付いていないらしい。

すうっと汗が引いていく。

どうする？　どうするべきだろう？　素直に近付いていって、間違えたからと取り替えればいいだろうか？　俺の顔を覚えているだろうか？　暫く経ってから、俺の顔を思い出すことなどあるだろうか？

サングラスを割ってしまったことに舌打ちした。

なんというタイミングの悪さ。くそ。あの女のせいだ。あいつが後ろに立たなかったら、あいつがあの馬鹿みたいな靴を履いていなければ、こんなことにはならなかったのだ。

ぎりぎりと唇を嚙《か》む。

老人はうろうろしている。少なくとも、改札に入っていく気配はない。誰かを待っているのだろうか？　ならば、その同伴者が現れないうちに、やはりさっさと申し出て取り替える方が得策のような気がする。

健太郎はそれでも暫く迷っていた。

すると、離れたところから一人の中年女性がその老人にすうっと近付いていって話しかけるではないか。

げっ、なんだ、あの女は。こいつが連れか？

健太郎はぎくりとした。二人は何ごとか話し合っている。そんなに親しげな様子には見えない。

危ない、危ない。今俺があいつに話しかけていれば、あの女がそのことを目撃して覚えていたに違いない。それは困る。じいさん一人の記憶ならなんとかなっても、もう一人が俺のことを覚えていたら――

二人が歩き出したので、再び背中を冷や汗が流れ始めた。

どこへ行くんだ、こいつら？

健太郎は仕方なく跡をつけ始める。ポケットに手をやった。イオカードもメトロカードも持っているから、とりあえず彼らが電車に乗っても後についていける。

二人はにこやかに笑いながら、地下への階段を下りて行く。

『銀の鈴』のところで二人は別れた。単なる道案内だったらしい。

くそ。ここであのじいさんは別の仲間と会うのか。ますますまずい。やっぱりさっき声を掛けておけばよかった。

またしても胃が重くなる。

どうすればいい。どうすれば。

胃がきりきりと痛くなり、冷や汗を流しながら健太郎は広場を歩き回る老人を見つめていた。

13

額賀《ぬかが》義人《よしひと》は、ぐっしょり濡《ぬ》れたハンカチでてらてら光るおでこの汗を拭《ぬぐ》った。

全身も汗まみれだ。

ただでさえ、中年太りも甚だしい巨体は汗をかきやすいのに、ここ数日駆け回り、こうして最終日に遠くまで契約書を貰《もら》いに出てきたので、半分は冷や汗に違いない。

営業職員は、まだあの社長と話をしている。義人は、契約書と保険料を持って帰るために一足早く会社を出たのだ。あの社長は情にもろく、いい人なのだが、いかんせん話が長い。営業畑二十五年の義人をして口を挟むすきを与えないのだから、たいしたものである。脱いだ背広から湯気が上がっているような気がした。

やれやれ。

首筋を揉《も》み、ホームに滑り込んだ電車によっこらしょと乗り込む。成田線の上りは空《す》いていた。若い女性と、サラリーマンが何人か、冷房の利いた車内で居眠りをしている。

座席のはじに腰を下ろすと、義人は大きく安堵《あんど》の溜《た》め息をついた。

ぷしゅう、という音を心地好く聞きながら、膝《ひざ》のカバンをしっかりと抱え込む。

やった。一億成約だ。これで安心して帰れる。カバンの中には、さっき貰ってきた契約書と初回保険料の入った封筒が収まっている。支社長にはさっき電話しておいた。目標達成とあって、支社長もほっとした声を出していた。受話器ごしに溜め息を聞き合いながら、ああ今月も生き延びたと、ひとまず安堵する。むろん、これから契約課の決定を待たなければならないが、今月の契約は、被保険者の健康にも事業内容にも不安のあるものはないから、まず大丈夫だろう。

やれやれ、よく毎月こんなことをやってきたもんだよなあ。

がっくりと疲れを感じた。

義人は、多少の満足と同時にようやく文句を言う余裕を感じたのが自分でもおかしくて、一人でクスリと笑った。

腕を目の前に上げ、時計を見る。一時過ぎか。なんとか三時までには契約書を持って帰れそうだな。北条に渡せば、あとは安心だ。

ざあっ、という音がして、義人はふと窓ガラスに目をやった。

空はぎょっとするほど真っ暗だ。ガラスに雨が吹き付けられた音だと気付いた。

また雨か。毎日こんな天気ばっかりだなあ。同じ暑いなら、カンカンの青空の方がまだましだ。こんなふうにムシムシして、雨に降られたり風が強かったりするんじゃ出歩く人間はたまらない。

義人はネクタイをゆるめた。やれやれ、今夜はゆっくりビールだ。

そう考えたとたん、緊張の糸が切れて、眠気がどっと押し寄せてくるのを感じた。

14

「いやな天気ねえ。顔がてかって気分悪いったら」

落合美江《おちあいみえ》は、その人工的な化粧をした顔の眉《まゆ》に皺《しわ》を寄せて空を見上げた。

今にも、空に懸かる低い雲がぼとぼとと落ちてきそうだ。

「なんだよ、高い化粧品使ってるんだろう」

結城正博《ゆうきまさひろ》は、からかうように言った。

美江は口を尖《とが》らせると、隣を歩く正博を睨《にら》みつける。

「夏は大変なのよ、お手入れが。しかも、建物の中は冷房が利いてて乾燥してるでしょ。肌のダメージがすごいんだから。年々化粧品も進化してるけどさ、それより先に肌が年取ってくのをひしひしと感じるのよね。あたし、なんだか最近汗がうまく出ないのよ。更年期障害かしら」

正博はあきれたように美江の顔を見る。

「何言ってんだよ、おまえまだ三十だろ？」

「もう三十よ。あのね、知ってる？　最近どんどん女の人の更年期障害が早くなってきてるんだって。三十くらいでも、環境やストレスで更年期障害に似た症状が現れてくるんだってよ」

「へえ。大変だな、女も。そんなにカリカリ働かなくたっていいのに」

正博は、あっけらかんと答えた。

美江は苦笑する。小さくぴしっと正博の肩を叩《たた》く。

「何よ、今日あたしがなんでこんな格好してあんたについてきたと思ってんのよ。いい加減にしなさいよ」

「ごめんごめん。何か買ってやるからさ。バッグでも靴でもいいよ」

美江は大きく溜め息をついた。

隣を歩く正博は、擦れ違う女が皆チラリと目をやるほどの二枚目だ。高いスーツを嫌味なく着こなし、自信に満ちた態度で銀座をすたすた歩いていく。美江はなるべく派手な格好をしてきてくれと言われていたので、派手で高慢な女を演出するべく、ラクロワのスーツに大きく巻いた髪というスタイルにしてみた。こちらもまた、擦れ違う男が皆羨望《せんぼう》の目を向ける、プロポーションの良い目立つ美人である。

美江と正博とは、三つ離れたいとこである。子供の頃から仲良くしていた。正博はいわゆる青年実業家という奴で、もともと実家に資産があり、父親が手広く商売していたうちから幾つかを選んで正博に跡を継がせたのである。遺伝なのか天性の商才があり、趣味のいい飲食店を幾つか経営して成功させ、今では他の商売にも手を伸ばしている。

裏表のない開けっ広げな性格で、誰から見ても憎めない。見た目もスラリとして、いかにも甘い二枚目で、子供の頃からとにかくよくもてた。美江は正博とは似ていないが、派手な外見とは裏腹に豪快でさっぱりした気性で、不思議とうまの合った二人は昔から盛り場に出入りしてよく一緒に遊んだものだ。

問題なのは、正博がしばしば別れたい女がいる時に美江を使うことである。

正博は惚《ほ》れっぽいのと同時に飽きっぽい男だった。しかも正直なので、それまで言葉を尽くして口説かれていた女の受ける衝撃は大きい。どうせなら、玄人や遊び慣れた女を口説けばいいのにと思うのだが、正博はそういう女にはあまり興味を示さないのである。真面目で、堅い女を口説くのが趣味なのだ。

それは非常に危険なことであると美江は度々正博に提言していた。そういう真面目な人は、裏切られたとか遊ばれたとかいう強いマイナスの感情を抱きやすい。あんたそのうち誰かに刺されるよ、と高校生の時から冗談混じりに言っていたのだが、正博は取り合わなかった。しかし、二十歳を過ぎてつきあった相手が自殺未遂を起こしたので、さすがに正博も警戒するようになったようだ。

だが、美江の知らないところでまた最近真面目な女に手を出していたらしく、久しぶりに連絡をしてきたと思ったら、「頼む。別れたい女がいるから一緒に会ってくれ」という神妙な申し出だったのである。

打ち合わせをすべく待ち合わせた銀座のレストランで写真を見せられた美江は、その瞬間嫌な予感がした。

この女はやばい。

写真を見たとたん、そう確信したのである。

聞けば、仕事で知り合ったOLで、銀行の総合職だという。両親は大学の先生。几帳面《きちようめん》で、高学歴で、しかもかなりの美人だ。確かに、いかにも正博が落としたくなるような女性であるのは分かるが、この女は危険すぎると美江は思った。

「正博、あたし会いたくないなあ、この人」

美江は気乗りのしない声で呟《つぶや》いた。

「なんでー。美江が会ってくれないと、絶対納得しないよ、彼女みたいなタイプ」

ランチに出てきた鴨のローストを食べながら、正博は子供のような目で美江を見る。それは、美江が断るとは夢にも思っていない無邪気で残酷な瞳《ひとみ》だった。

「もうちょっと早く教えて欲しかったなあ。そしたら、あたし、こんな派手な格好じゃなくて真面目なスタイルで来たのに」

「どうして。そういう格好の方が効果てきめんなんだよ、あたしよりもこんなちゃらちゃらした女がいいなんて見損なったわって、相手に思わせるんだからさ」

「逆効果の場合もあるんじゃないのかなあ」

美江は写真を目の前に持ち上げて呟いた。特にこの女の場合。と、美江は心の中で呟いた。

「嫌だなあ。やっぱり一人で会いなさいよ、正博」

「ええっ。困るよ。美江が来てくれるからって今日は安心して来たのに」

「そんなのあたしの知ったことじゃないわ。いとこのよしみで今までつきあってきたあたしが馬鹿だった」

「今回だけ。本当に今回だけだから。頼むよ。ね」

正博は慌てていた。ほんの少し、不安そうな表情になる。

「それに――正直言って、一人で彼女に会うの、怖いんだ」

ぼそりと呟く。美江は正博の顔を覗《のぞ》き込む。

「どうして？」

「ん――なんかさ、最近彼女、目が怖くってさ。時々ぞっとするような目をするんだ」

「えーっ」

美江は思わず身を引いた。

「薄々俺が別れたいって思ってるの気付いてるらしいんだけど、面と向かっては絶対口に出さないんだよな。でも、ちくちく、あたしのことを捨てたりしないわよねみたいなことを言うんだよ」

正博が本気で怖がっていることに気付き、美江はますます不安になった。

「もうっ。本当にやめなさいよ、正博。今回限りでこういうつきあい。あんたもいい年なんだから、真剣におつきあいできる相手を見つけなさいよ。いつまでこんなこと続けるつもりなのよ」

急に腹が立ってきて、美江は声が大きくなっていた。正博は珍しくしょんぼりしている。

「うん。そのつもりだよ。だから、今回だけ、ね。こんなの頼めるの美江しかいないんだもの」

「当たり前よ。こんなのを頼む女が何人もいたら、それこそぶんなぐってやるわ」

美江はぷんぷんしながら、コーヒーカップを乱暴に持ち上げてグビリと飲んだ。

そして、二人で歩いて打ち合わせをしながら彼女との待ち合わせ場所である東京ステーションホテルに向かっているのだった。ホテルに近付いてくるに従って、だんだん天気が悪くなってくるのは、この状況を表しているようであまり気分がよくなかった。

二人はだんだん無口になった。

「ねえ、その女、なんていうの？」

美江は平静を装って尋ねる。

正博は前を向いたままぼそりと答える。

「浅田佳代子」

15

廊下をぞろぞろと歩きながらも、麻里花はどんよりした不安でいっぱいだった。

あたしのダンスはどうだったんだろう。自分では結構うまくいったと思うんだけど。

麻里花と同じ組で踊った他の少女たちも、複雑な表情で廊下を歩いていく。

一人置いて自分の後ろを玲菜が歩いているのを感じながら、そんなに玲菜ちゃんとの差はなかった、と麻里花は自分に言い聞かせた。

玲菜ちゃんはふわりと踊る。そんなに、踊りにめりはりはない。細かいポーズを決めるところでは、麻里花の方がうまく形になっていると思う。レッスンの先生だって、麻里花ちゃんは見せ方が上手だと褒めてくれた。

それよりも、審査員が麻里花たちのダンスを見ながら口早にこそこそ何事か囁《ささや》きあっているのが気になって仕方がなかった。あれは何を言っていたんだろう？　あたしを見ていたような気もするし、誰かを見ていたような気もするし。

控え室に戻るのが憂鬱《ゆううつ》だった。明子が怖い顔で「どうだった？」と詰め寄るのが目に見えているからだ。

出てきた時よりも、控え室はずっと寛《くつろ》いだ雰囲気でざわついていた。ほとんどの子供たちが最初のテストを終わらせているから、ホッとしたのだろう。

控え室に入っていくと明子が玲菜の母親と喋《しゃべ》っていた。さっきのようなひきつった雰囲気ではなかったのでホッとした。「お帰りなさい」とにこやかに麻里花を迎える。

「どう？　ちゃんとできた？」

玲菜の母親の前で落ち着いたところを見せようというのか、明子もいつになくおおらかな感じだ。これ幸いと、麻里花は小さく肩をすくめた。

「分かんない。まあまあだとは思うんだけど」

「どう、玲菜ちゃん」

玲菜の母親が、少しだけ期待を滲《にじ》ませて、戻ってきた玲菜に声を掛けた。

「うーん。みんなで並んで踊ってると、先生の方からどういうふうに見えるか分からないから」

玲菜は戸惑ったような声を出した。麻里花はちょっと驚いた。おっとりとしている玲菜ちゃんが、審査員の側からの視線を意識しているとは思わなかったのだ。

「まあまあ、ご苦労さま。まだ次があるんだから、ゆっくり座って休みなさい。今度は一人ずつだから、時間がかかるわね。何か飲み物でも買ってきてあげようか」

明子が立ち上がろうとすると、玲菜の母親が「あら」と言った。

「うちでカルピスを詰めて持ってきたんだけど、麻里花ちゃんもどう?」

トートバッグの中から取り出した水筒を指差す。

カルピスと聞いて、麻里花は飲みたくなった。明子の顔を見る。

「ママ、貰《もら》ってもいい?」

明子は少しためらったが、笑って頷《うなず》き、玲菜の母親に向かって頭を下げた。

「ええ、いいわよ。すみません、いただきます」

玲菜の母親は、紙コップを取り出して、テーブルの上に置いた。

16

ヒロインは、鏡の部屋の中で、血まみれのチェーンソーを手にぶるぶる震えながら殺人鬼が近付いてくるのを待ち構えている。

アミューズメント・パークのテーマソングである、脳天気な音楽が明るく画面に流れているのと同時に、重低音でクライマックスが近付いてくることを示す不気味な音楽が映画館に響き渡っている。

ヒロインは、あちこち怪我して血を流している。

薄暗い、奇妙な色の光線が飛び交う鏡の部屋に、万華鏡のようにヒロインの顔があちこちに映っている。

ヒロインが怯《おび》えた視線を走らせる度に、さまざまな角度の自分の姿が見えるのだ。

足元には、血まみれの少年が倒れている。彼女を守ろうとして、殺人鬼の罠《わな》にかかったのだ。見ないようにしていたヒロインは、少年の手に握られた携帯電話を見て涙を流す。

「ひどい。ひどすぎる」

ヒロインは小さく呻《うめ》く。と、同時に、彼女の目に何かに気付いたようなハッとした表情が浮かぶ。

それはやがて、強い光を帯び始める。

「分かったわ」

彼女の目にめらめらと怒りの炎が燃え上がる。

脳天気な音楽が甲高くなり、はらわたに響く重低音もずしんずしんと音量を増す。

「分かった。あいつが犯人だったんだわ」

ヒロインはカメラに向かって叫ぶ。

と、そこで画面は止まる。

場内はワーッという歓声に揺れ、拍手が湧き起こった。

ファンファーレが鳴り、画面に文字がかぶさった。

観客への挑戦

手掛かりは全てこれまでの映像の中に提出されています。

さあ、この殺人鬼はいったい誰でしょう？


フラッシュバックで、これまでのさまざまな場面や出てくる登場人物のアップが次々と流されてゆく。この『ナイトメア』シリーズがミステリファンの支持を得たのは、クライマックスの場面で『観客への挑戦』が出て、犯人が含まれている登場人物や手掛かりの含まれている映像をフラッシュバックで見せたところなのだった。

そして、この時間を利用して、忠司と春奈は、隣の席から回されてきた白い紙に素早く文字を書き込んでいた。

映画を見て二人が推理した真相を。

二人は書き終えたメモをさっと隣の席に返した。

ジャーンと再びファンファーレが鳴り、画面が動き出した。

二人は食い入るような表情で画面を見つめている。

鏡がぱきんと派手な音を立てて割れ、ヒロインは目を大きく見開いて金切り声を上げた。

17

窓の外が明るくなったような気がした。

朝が来たのかな？

夢心地の中で、義人はそんなことを考えていた。

と、突然、がっくんという激しい重力がかかり、義人は座席から放り出されそうになった。ぱっちりと目が覚める。

ぎいい、と鈍い音を立てて電車が止まった。

ぱっと車内の明かりが消え、車内は真っ暗になる。義人はぎょっとして身体を起こした。他の乗客も居眠りをしていたらしく、慌ててあちこちで身体を起こす気配がする。

「何？」

「停電だ」

「落雷かな」

ぼそぼそと暗い車内で誰かが呟《つぶや》く声がした。

義人は、いつのまにか自分がすっかり眠りこんでいたことに決まりの悪い思いをしながら窓の外を見た。

外は相変わらず真っ暗で、ばしばしと窓に叩《たた》き付けるような雨が降っていた。

高架線の下は一面の畑である。駅と駅との間で止まっているらしい。

ここは、どこだろう。

みんながじっと息を殺していると、暫《しばら》くして車内の明かりがついた。

なんとなくみんながホッとしたような表情になる。

が、相変わらず電車は動き出さない。

乗客たちは辛抱強く待っていた。が、うんともすんとも言わない。

居眠りを再開していた乗客も、やがてイライラしたような顔で天井を見上げ、隣の車両を覗《のぞ》いている。

義人もだんだん不安になってきた。

どうしたのだろう？　事故だろうか？

じりじりとしながら待つ。冷房が切れたようだ。じわじわと車内が蒸し暑くなっていくのに比例して、乗客のイライラも大きくなっていく。

「なんだよ、どうしたんだよ。アナウンスくらいしたっていいじゃないか」

二人組のサラリーマンが文句を言った。

そうだ。こんなに長いことアナウンスが入らないなんて、怠慢ではないか。

心の中で頷《うなず》きながら、義人は貧乏揺すりを始めた。

と、ブツッという耳障りな音がして、車内放送が入ったことが分かった。

乗客たちは動きを止め、耳を澄ます。

「お客様に申し上げます。架線事故が発生した模様です。ただ今、原因を調べております。架線事故が発生した模様です。ただ今、原因を調べているところです。原因が分かり次第すぐに発車いたしますが、今暫くのご辛抱をお願いいたします。繰り返し、お客様に申し上げます――」

アナウンスの声も、動揺を隠し切れない様子である。えーっ、という声が上がり、乗客たちは互いに顔を見合わせた。みんなが示し合わせたように自分の腕時計を見たのにつられて、義人も自分の時計を見る。

その瞬間、義人は背中に冷水を浴びせかけられたような気がした。

二時五分。

ここは、どこだ？

義人は、現在停車している位置を確認しようとするようにキョロキョロと車内と外を見回した。が、何もない畑が広がっているばかりでその手掛かりは何もない。

どこだ？　あと何分で復旧するんだ。

義人はカバンを抱えて立ち上がった。どっと全身から冷や汗が噴き出してくる。

契約書。保険料。午後三時。受付最終日。

いろいろなことがいっぺんに頭の中に浮かんだ。

義人はあまりの不運に頭の中が真っ白になった。

オーマイガッ。

最近、小学校に上がったばかりの三男がやたらと口にする言葉が、無意識のうちに喉《のど》から飛び出してきた。

18

「『夏の駅走らぬ車輪涼を取り』」

「『夏の駅ディズニーランドの袋咲き』」

「『赤れんが通勤客を焚《た》き付けて』」

「そりゃ季語は何だい？」

「駄目かな。焚火は冬だもんな。赤れんがが熾火《おきび》のように、あかあかと燃えているように見えるほど暑い夏。吐き出される通勤客を焚いているように見える。赤れんがは夏、とは思えないかな」

「東京駅を連想するのは確かだが、夏はどうかねえ」

「ううん。どうしても赤れんがを使いたいなあ。赤れんが、赤れんが。『赤れんが通勤客の服脱がせ』。どうだ。駅から出ると暑くて、みんなが上着を脱ぐ。これだったら夏だと分かるんじゃないかな」

「どうもトヨちゃんはあばんぎゃるどな方に行きたがるねえ」

「もっと素直に、最初は基本に忠実にやらなくちゃ。陳腐なものからスタートして、少しずつ外していくのが結局は早道だよ」

「東京駅ってのは季語にはならんよな」

「上野だったら年の瀬で帰郷するとか、集団就職で春って感じもするけど」

「トモさん、今は集団就職なんて死語だよ」

ここは、東京駅の丸の内側にある『動輪の広場』である。八重洲側の『銀の鈴』に比べればややマイナーな待ち合わせ場所であろう。プラスチックの椅子もたくさん置いてあるが『銀の鈴』ほど多くはない。ちなみに、この『動輪』というのは、C62型蒸気機関車の動輪を指すのである。第二次大戦後の昭和二十三年、戦災で破壊された東京駅の復興と共に誕生し、全国を駆け巡り、日本の復興に貢献したのである。蒸気機関車としては世界最高の時速百二十九キロを記録したんである。偉いんである。その功績を称《たた》えてこうして記念に置かれているのである。だが、黒く雄々しい動輪も、隣に設けてある喫煙所の迫力に押され気味である。年々包囲網が厳しくなる愛煙家が、恍惚《こうこつ》もしくは怨念《おんねん》という顔でせわしなく煙草を吸っている風景は、ものがなしくも凄《すさ》まじいものがある。天井には巨大な空調が設置してあるが、まるで煙の量に追いついていない。愛煙家たちは最後の砦《とりで》を死守せんとするようにがっちりと喫煙所を取り囲んでいる。このまま手を繋《つな》いで回り始めるんじゃないかと思うほどだ。煙草の火を消す間を惜しむように、次々と火を点《つ》けいっしんに煙草を吸っているので、霊気のごとき灰色の煙が、文字通り煙幕を張っているのだった。

その隅っこに、人待ち顔の老人たちがのんびりと立っている。

一見地味な老人たちなのだが、何かがおかしい。そこだけ、かすかに異様な雰囲気が漂っている。その証拠に、プラスチックの椅子に寝ているホームレスらしき男も、待ち合わせをしている中年のビジネスマンも、時々ちらちらとその老人たちに目をやり、目が合ったりすると慌てて目をそらすのだった。

まず目を引くのは、胡麻《ごま》塩《しお》頭の大男である。眼光は鋭く、頭や顔は老人であっても、鍛え上げられた体軀《たいく》はみじんもすきがない。物静かなだけに余計に迫力を感じさせるタイプだ。彼は雫石貫三《しずくいしかんぞう》と言う。

続いて、隣にピタリと寄り添うのは、小柄で細くて穏やかな表情の男である。金縁の眼鏡が嫌味でなく似合っている。だが、やはりその目は笑っていない。視線は抜け目なく、周囲を隈《くま》なく観察している。彼は山本豊彦《やまもととよひこ》と言う。

その向かい側には、にこにこと恵比寿《えびす》様のような顔をした中肉中背の男が立っている。物腰は柔らかで、見ているこちらまで微笑みが伝染してきそうだ。彼は養老秀朝《ようろうひでとも》と言う。

そして、もう一人。顔だちのはっきりとした、眉《まゆ》の濃いがっちりした男。老人と言われる年になってなお、意志の強さが顔にくっきりと表れている上に、不屈の粘り強さを感じさせる男である。彼は白鳥健吉《しらとりけんきち》と言う。

さて、この四人に共通する目付きの鋭さ、はっきり言ってこの目付きの悪さは、彼らが全員警視庁OBであるということに起因しているであろう。

退職してから数年が経つというのに、彼らはかつての職業の匂いが抜けない。ましてやこうして四人で会い、しかもこんな人込みの中で立っているとなるともういけない。どうしてもきょろきょろと不審人物を捜し、何かが起きていないか探りを入れてしまうのである。雫石貫三は長年暴力団を相手にしていたし、山本豊彦は知能犯担当、養老秀朝と白鳥健吉はもと同僚で一緒に殺人事件を中心に扱っていた。この四人は退職の数年前から警視庁内の俳句サークルで知り合い、こうして今も一緒に俳句をひねっている。

「カンさん、駄目だよ、そんなおっかない顔しちゃ。吾妻さんはとても穏やかなひとなんだから、これが自分の俳句仲間だなんて思わないよ」

そう秀朝に言われた貫三は、困ったような顔で笑った。

「俺たちがデカだったたって言っといた方が良かったかな」

「でも、もう退職したんだから関係ないだろ」

「俳句仲間がデカだったと聞いたら、怖がって帰っちまうかもなあ」

「カンさん、スマイルスマイル」

「目付きだけはどうしても直らないんだよなあ。こないだも町内会の温泉旅行に行った時の写真を孫に見せたら、じいちゃん怖いって泣かれてなあ。確かに俺の顔だけ怖くってさ。昔、抗争中に若いヒットマンが逃げ込んだ思い出の旅館だったんだよ。これでも少しは和やかになったって自分では思ってるんだけどな」

貫三は情けなさそうな顔になった。

「まあまあ、カンさんは、見た目はこわもてだけど、話せば性格はいいんだから。吾妻さんは性格のいいひとだし、きっと分かってくれるよ」

「それにしても、遅いなあ。どうしたんだろう」

健吉が時計を見た。約束の時間を、もう二十分以上過ぎている。

「迷ったのかな。やっぱりここじゃ分かりにくかったかな。こちらの方が空《す》いていて相手を捜しやすいと思ったんだが」

秀朝が頭を掻《か》いた。

「よし、捜索に出るか」

そう言ったとたん、みんなが色めきたつ。

「分かれよう。誰かがここに残っていないのはまずい」

「最初は俺が残る」

健吉が仕切った。

「対象は吾妻俊策、七十一歳。男性。茨城県真壁《まかべ》郡出身。身長百六十二センチ。体重五十三キロ。眼鏡はしていない。背筋も伸びている。笠智衆《りゅうちしゅう》似のホトケ顔。東京は初めて」

健吉の目配せで他の三人が喜々として地下街に散っていくのを、近くにいたホームレスがびっくりしたように見送っている。

19

「わ、見て、凄《すご》い。赤いトラックがいっぱい」

美江は道を歩きながらふと顔を上げ、狭い門の向こうにずらりと並んでいる赤いトラックに目を奪われた。

「ああ、ここ東京中央郵便局だな。俺、ガキん頃は郵便屋さんになりたかったんだよな」

「えーっ？　正博が郵便屋さん？」

「うん。あの赤いトラックに憧《あこが》れてたんだよな。郵便屋さんの黒いカバンが欲しくてたまらなかった。手紙を届けてもらうのって凄く嬉《うれ》しいじゃないか」

「ふうん。あんたにもそんな可愛らしい時代があったのね」

「なんで赤なんだろうな。確かに、あれだけいっぱい赤いトラックが並んでると興奮してきて、闘争心湧いてきて、よしっ、俺が一番ぶっちぎりで届けたるって気になるのかもな」

「闘牛じゃあるまいし」

他愛のない話をしながらも、二人は徐々に緊張してくるのを感じた。

空は相変わらず暗く、空気はねっとりと蒸し暑く肌にまとわりつく。

このまま後ろを向いて逃げ出してしまえばいい、と美江は自分に囁《ささや》く。自分がこんな茶番劇につきあう必要は全くないのだ。自分がこんな嫌な役をやることはないのだ。相手の女性に対して、同性としての痛みを覚えないのか？

だが、美江は過去に面白い遊びとしてこの行為を楽しんだ記憶を忘れてはいなかった。

あらあ、こちら、どなた？　あなたの秘書かしら？　正博、あなた随分地味なタイプを好むようになったのねえ。この前の女と全然違うじゃないの。

美江は子供の頃から目立った。アイラインもマスカラも必要ない、目鼻立ちのはっきりした派手な顔なのである。ちょっとでも化粧をするとますます派手な顔になってしまう。中身はどちらかと言えば地味な方だったのに、見た目が派手な美人のため、昔から色眼鏡で見られがちだった。「あの人遊んでるから」と根拠のない陰口を叩《たた》かれ、私生活が乱れているような言い方をされるのである。思春期の美江は、心ない興味本位の噂に随分傷つけられた。同じ美しさでも、同性の不興を買わない美しさがあるものだが、美江は不興を買う方の美しさらしい。特に、美江は優等生タイプの同性からは徹底的に嫌われた。

ただ真面目だと言うだけで、自分のようなタイプを汚いもののように見る女。中身も知らないくせに、濃い化粧や派手な服に眉をひそめる女。そのくせ、美しい、可愛いというほめ言葉には敏感に反応し、そんな言葉をひとことでも言われたら、後生大事に胸の奥で撫《な》でさすっている女。いや、そこまで言うのは残酷か。人間は見た目が大事。外見である程度の判断をされるのはいたしかたない。特に女性にとって容姿はシビアな問題だ。しかし、こちらが対面してきちんとした話をしようとしても、既に彼女たちの目にはバイアスが掛かっていて、美江のような女にまともな人格が存在するなんて思いもよらないらしい。ただ真面目だというだけで、ただ規則を守るというだけで、全ての正義が自分の中にあると考え、それをふりかざすような女は大嫌いだ。美江はそんな感情が自分に正博との共犯関係を持たせていたことに気付く。

だが今回はどうなのだろう？　あたしはこんなことをしていていいのだろうか？

なぜか胸の奥が鈍く痛んだ。

正博と並んでホテルの入口に向かいながら、美江は複雑な気分だった。

20

時計が一時四十五分を回った頃から、北条和美はなんとなく嫌な感じがし始めた。

長年の培った勘という奴である。和美は書類をチェックしながら首を回してコキコキと鳴らした。こういうのは、まず例外なく嫌なものの方が当たる。

一時期流行《はや》った「マーフィーの法則」ではないが、一番起きて欲しくないことが一番起きて欲しくない時に起こるのは、これまでの経験から言ってかなり確率が高いと言える。

けれど、信じられないくらい幸運なことが信じられないタイミングで起こることも現実には結構多いので、プラズマイナスゼロだと思うことにしている。さて、今日はどっちだろう。膝《ひざ》が痛むところをみると、恐らく前者に違いない。

二時を少しばかり回った頃、その電話は鳴った。和美はその瞬間これだと思い、ベル一回で電話を取る。

「ほっ、北条くんを頼む」

こちらが名乗ろうとする前に、その裏返った声が耳に飛び込んできて、和美は自分の予感がめでたく的中したことを悟った。

「あたしよ、部長。今どこ？」

「それが」

和美が落ち着いた声で尋ねると、義人は弱り切った声で呟《つぶや》いた。

「――どこだか分からない？　まだ佐倉《さくら》市？　電車が止まってるですって？」

和美の驚いた声に、他の社員がビクッとした様子で振り返る。もう今月の修羅場は過ぎたと安心していた社内のムードに、俄《にわか》に暗雲が立ち込めてきた。人間、不幸の気配には敏感なものである。和美はいつも冷静でめったに声を荒らげないので、その声の調子から不穏な内容、それも支社全体に関わる内容であると同僚たちは察知しているのだ。

近くを不用意に通りかかった今年の新人、森川安雄《もりかわやすお》の袖《そで》を和美がガシッとつかんだので彼は電流が流れたように全身を強張《こわば》らせた。もともと気の弱いタイプだったのだが、日々女子社員と営業職員の罵《ば》詈《り》雑言《ぞうごん》を浴びているうちにますます気弱になってしまった。このところ神経衰弱気味なのか、名前を呼ばれるとびくっと固まるのが面白いのでついつい声を掛けてしまう。今の彼は、まるでぼったくりバーのキャッチセールスにつかまったような怯《おび》えようである。

「地図」

受話器を耳で挟みながら、和美はぶっきらぼうに呟く。

「はい?」

「金庫の脇に首都圏の地図があるから持ってきて。すぐ。え、動き出した? もうすぐ四《よっ》街道《かいどう》?」

早口で言われ、彼は泣き出さんばかりに駆け出して地図を持ってくる。地図を渡してそそくさと逃げようとする彼の腕を和美は再びガシッとつかんだ。

「四街道探して」

「よつかいどう?」

「千葉よ、千葉」

彼はおろおろと地図のページをめくる。彼が指で示したところを見て、和美は舌打ちした。

「くそ。まだこんな遠くか」

再び逃げ出そうとした安雄の腕を三たびつかむ。オオカミに捕らえられたウサギのような、世にも悲しそうな目で振り返る安雄に和美はニッコリと笑い掛けた。

「どうもありがと」

安雄はどっと疲れた顔でよろよろと去っていく。

「その先も止まってる？　千葉までの間が？　降りられそうなの？」

みんなが和美の電話に聞き耳を立てている。チームの女の子たちは仕事の手を止めてしまった。

「車を呼ぶ？　うん、じゃそうして。途中で電話ちょうだいね。分かった、支社長にはあたしから言っとく」

和美はがしゃんと受話器を置いた。一瞬、オフィスが静まり返る。

青ざめた顔の経理課長の十和田《とわだ》吉弘《よしひろ》が席を立ってよろけるように和美に寄ってきた。天井から下がっているマンボウと顔色が同じだ。

「北条くん、今の電話は」

「千葉方面は現在大雨雷洪水警報が出てるそうです。成田線は止まってます。総武本線は徐行運転。額賀部長は今四街道駅で、タクシーを呼んで車で来ると言ってます」

「そうか。四街道か」

吉弘はそわそわと時計を見る。みんなも見る。二時十五分。悲観的な雰囲気が流れる。

「たぶん、もう一度電話が掛かってくるな」

和美がそう呟いたとたん、外線のベルが鳴り、再び一度で取った。

「はい。ああ、北条です。やっぱりね。ちょっと待って」

和美は電話を保留にし、みんなの顔を見回した。

「駅に降りたビジネスマンから電話殺到。とても車はつかまらず。どんなに早く見積もっても配車は一時間後ですって」

みんなが肩を落とした。

「あとはヒッチハイクでもしてきてもらうしかないかなあ」

「トラックに乗せて貰《もら》うとか」

契約チームの若い女の子たちが口々に呟いた。

「自然現象が原因なんですから、契約課に延ばしてもらったらどうですか」

加藤えり子が不満そうな顔で尋ねた。入社三年目、和風の上品な美人顔だが、無表情な子である。仕事は手堅く、筋が通っている。

和美は首を振る。泣き落としはきかないのだ。先月もさんざん使ったし。あの「支部が竜巻に吸い上げられて契約書が届くのが遅れた」という言い訳はいくらなんでもひどすぎた。

「そういうのが今日は全国から五百件くらい来るのよ。雪が降った、象が降った、隕石《いんせき》が落ちた、ゴジラに襲われた。賭《か》けてもいいけど絶対信じてくれないね」

保留でチカチカ赤く点滅している電話機を見つめながら、和美はじりじりしていた。

「バイク便はどうですか。どうせ電車止まってるなら道も混んでるだろうし。もしタクシーが拾えたとしても、週末だし五十日《ごとうび》だし絶対進みませんよ」

「その手があったか。いいかも」

「でも、バイク便って、どこもたいてい二十三区内だけなんだよね。こないだも吉祥寺《きちじょうじ》行き頼んで断られた」

「なるほど。バイクならいいわけですよね」

えり子は切れ長の目で考え込んだ。その様子に期待させるものがあったので、みんながなんとなく彼女の顔に注目する。

「ちょっと失礼します。心当たりに掛けてみますので」

えり子は小さく拝むようなしぐさをしてから、机の引き出しの小さなトートバッグを取り出し、携帯電話を引っ張り出した。席を立ってオフィスの隅に行く。

「――あ、ケンジ？　あたしよ。済まないね、こんな時間に。ああ、最近とんとご無沙汰《ぶさた》してるからね。バカ言ってんじゃないよ、今更こんなカタギになっちゃって現役復帰は無理だね。あんたたちはどうなの？　まだ湾岸でマッポとじゃれてるわけ？」

みんながぎょっとして目を丸くした。声を低めてはいるが、えり子の普段の声とは全く違うドスの利いた声だったからである。

「あんたを見込んで頼みがあるんだ。今、ピザ屋やってんでしょ？　そのシマはあんただって聞いたよ。誰か、手が空いてるコいない？　そこ習志野《ならしの》だったよね？　うん、四街道の駅であたしの上司が足留めくらってるから、そいつから書類受け取ってあたしの会社まで届けてほしいんだ。礼はするよ」

えり子はチラッと和美を振り返った。和美はえり子のあまりの変貌《へんぼう》ぶりに唖然《あぜん》としていたが、すかさず三本指を立てた。

「三万でどう？　ありがとう。恩に着るよ。今度差し入れいくからさ。うん、名前は額賀義人。五十くらい。ムーミンみたいなデブで頭にスダレ入ってる。すげえ汗っかきだから遠目でも分かるよ、スプリンクラーが歩いてくるみたいだから。え？　一緒に連れてきてくれる？　助かるな。今、連合どうなってんだろ。ガタガタみたいだね。昔みたいにはいかないよ。いやいや、あたしは完全にご隠居さ。じゃあ、そいつを見つけて出発した時点であたしの携帯に電話して。会社の場所はそいつに聞いて。東京駅目指してきてくれれば間違いない。うん。じゃあね。ほんと、助かった」

えり子は電話を切り、何食わぬ顔で席に戻った。辺りには別の意味での沈黙が漂っている。

「昔の友人に頼みました。部長をバイクで拾ってきてくれるそうです。その子は運転がとても上手なので、一時間以内には着いてみせるって言ってました。それを超えたらタダにしてくれるって。さすがピザ屋ですね。あ、早く部長に伝えてください。『ぴざーや』の白いバイクに乗ったケンジって子が迎えに行くって」

えり子はくすっと笑ったが、誰もが引きつった笑いを返すのみで声は出ない。和美はようやくハッと我に返り、保留のままになっていたボタンを慌てて押した。

21

ラストのクレジット・タイトルが流れていた。

激しくノリのいいロックに合わせてNGシーンが次々と流れる。血まみれで倒れていた登場人物が起き上がり、こちらに向かって笑いかける。斧《おの》が突き刺さったままの男がひょこひょこと歩いている。スタッフたちが鏡の部屋の細工を数人がかりでチェックしている。そして、最後にひょいと若い男が画面の横から頭を突っ込み、こちらに向かって叫んだ。

「NEXT TOKYO（次は東京だ！）」

映画は終わり、画面は真っ暗になった。

パッと会場は明るくなり、伸びをした観客たちがぞろぞろと興奮冷めやらぬ表情で外に出て行く。が、江崎春奈と森永忠司は呆然《ぼうぜん》とした表情で何も映っていないスクリーンを見つめ続けていた。春奈はパンフレットを握りしめ、忠司は椅子にめりこんだまま無言である。

「最後の最後に出てきて叫んだ奴がいたろ、あれは監督のフィリップ・クレイヴン本人だ。日本おたくで、今度は東京を舞台に撮りたいと言ってるらしいぜ。あのカットは日本版だけに入れてあるという凝りようだ」

蒲谷はそんな二人の様子に気付かないかのようにのんびりと呟《つぶや》いた。

「さあて、出ようぜ。お二人さんの解答も気になるしな」

ようやく春奈と忠司は身体を動かし始めた。だが、二人とも強いショックを受けているのは間違いないようである。

「――あんなのってありかよ？」

外に出て、近くのビルの喫茶店に入ると、忠司は納得いかないように蒲谷をジロリと睨《にら》みつけた。

「ちっともフェアじゃないじゃないの」

春奈もやっと落ち着きを取り戻したのか、パンフレットをテーブルに小さく叩《たた》きつける。

「そんなことはないよ」

蒲谷は悠然と答え、パンフレットの人物紹介表のページを開いた。

「だって、この表の中には、出てこなかったじゃないか。ミステリではよく死んだ人間が犯人っていうのがあるけど、これは、前の映画で死んだ奴が犯人だぞ。こんなの分かりっこないよ」

忠司は人物表に人差し指を突き付ける。

犯人は確かに意外なものだった。前々作で死んだ親友の、前作で死んだ父だったのである。彼は建築家であり、今回の舞台となったアミューズメント・パークの設計者でもあった。彼は娘を見殺しにした友人たちに対する復讐《ふくしゅう》を遂げるべく、殺人機械を満載したアミューズメント・パークを作り上げていたのであった。

「よく見ろ」

蒲谷は忠司の訴えにも動じない様子で、アップになった主人公の写真の後ろを指さした。そこには、アミューズメント・パークの入口の柱が映っていて、何か小さなプレートが埋め込まれている。よくよく見ると、『我が娘ケイトの思い出に　ドナルド・グリーン』と書いてあるではないか。忠司と春奈は顔を見合わせた。

「えっ」

「そんな」

「なっ。この人物紹介表の中に犯人の名前が書かれているというのは嘘じゃないだろ。フェアだ」

蒲谷は勝ち誇ったように二人の顔を交互に見た。

「きったねー。こんなせこい手を使いやがって」

「『真相を』って言ったじゃないの。だからてっきり特定の犯人がいるんじゃないかと思ったわ」

二人は憤懣《ふんまん》やるかたないように、運ばれてきたアイスコーヒーを乱暴に手に取った。

「まあまあ。なにしろ幹事長のポストを争ってもらってるんだからな。これくらいは予想できなくっちゃ」

蒲谷は肩をすくめてみせた。

「さてと、お二人の書いた答を見せていただくか」

蒲谷はポケットから折り畳んだ二枚の紙を取り出し、テーブルの上に広げた。

『監督が犯人。森永忠司』

『メタ。最後にカメラが引いて、監督その人が映し出される。全ては監督の妄想から生み出されたに過ぎない。江崎春奈』

二人はそれぞれの書いたものを読み、決まりの悪そうな表情になる。

結局、似たようなことを考えていたのだ。

「まあ、確かに監督が犯人というのは全ての作品に言えるわな。でも、こう書いておきながら人物紹介表に噛《か》み付くのはなぜだ、忠司。この中に監督はのってないだろ」

「それこそ視覚トリックという奴さ。この人物表自体、このパンフレットや映画自体が監督の産物だ。どれも皆監督の作品というサインがなされているようなものだ」

忠司は努めて冷静な様子で答えたが、ちょっと苦しい説明である。

「あたしは、ちょっとは当たってたじゃない。最後に監督本人も出てきたし」

春奈も、ようやく普段の調子を取り戻してきて、少しでも自分に有利にしようという魂胆をちらつかせる。

「でも、言ってることは忠司と同じだな。メタフィクションって書いた時点でもう完全に間違ってるな」

蒲谷は淡々と答える。春奈は口ごもり、ストローでアイスコーヒーを意味もなくかき回した。

「ま、第一ラウンドは引き分けだな。どちらもポイントはなし」

そう聞いて、がっかりしたのとホッとしたのとで、二人は複雑な表情になる。しかし、差がつかなかったのでホッとした方が大きいのは確かだ。

「さて、時間もないし第二ラウンドに行こうか」

蒲谷は腕時計に目をやった。

「今度はどこだ？」

忠司がぶっきらぼうに言って席を立つ。春奈もそれに続いた。

「次は虚構の世界ではなく、現実を見てもらおう。現実の人間観察力を競ってもらう」

蒲谷はしらっとした顔で答えた。

「今度の舞台は、東京ステーションホテルだ。ホテルくらい人間を観察し、現実に起きていることを推理するのにぴったりの場所はない」

「ホテルね。なるほど」

春奈はそう呟き、忠司と改めて顔を見合わせると、敵愾心《てきがい》も露《あらわ》にじっと相手を見つめていた。

22

デパートの地下は、甘い匂いに包まれていた。優子はこの匂いを嗅《か》ぐといつも幸せになる。いつまでもずっとこの匂いを嗅いでいたくなる。デパートの地下街は、時間帯によって全く異なる空気が流れているが、この時間はまだ優雅でゆとりのある時間が流れていた。

会社帰りの殺気だった地下街も活気があって燃えるけど、こういうゆったりした時間帯もいいわねえ。会社にいるといつも一日があっという間でせかせかしてるから、なんとなく心がおおらかになったような気がするなあ。

優子がここまでおおらかな気持ちになれたのは、彼女の目指すお菓子を手に入れる列に並ぶことができ、しかもそんなに列が長くないというこの上なくラッキーな状況にあったからである。徐々に近付いてくるレジにほくそえみながら、優子はじっと目指すお菓子を見つめていた。

待っているうちに、いろいろと夏の計画が頭に浮かんでくる。短大時代の友人とはなかなかスケジュールが合わず、今年は伊豆《いず》の温泉に行くことしか決めていない。秋にせめて二、三泊でいいからどこか近い海外に行きたいものだ。甘い匂いに包まれて、青い空、白い雲が脳裏に広がる。いいよなあ、やっぱバカンスは南の島よね。温泉も大好きだけど、なんだか不完全燃焼だよなあ。

ふと、駅のみどりの窓口に寄ってみようという考えが浮かんだ。

そっと腕時計に目をやる。めぼしいパンフレットをかき集めるだけでいい。そのあと全力疾走して帰ろう。

23

サリー　覚えていてね、エミー。このぶらんこも木馬も。覚えていてね、ぎしぎしいうあたしたちのベッド。フランクじいさんって名前を付けたよね。淋《さび》しい時には、フランクじいさんに何でも夜中に相談したよね、エミー。覚えていてね、あたしのこと。あんたのここでの姉。あんたがずっと幸せでいるようにいつも祈ってるあたしのこと。

サリー　ごめんね、エミー。あたし、ちょっとだけ神様にお願いしちゃったんだ。エミーにここを出ていかせないでください。あたしの知らないどこか遠いお屋敷なんか行かないで、またあたしと一緒にいられるようにしてくださいって。嘘。嘘よ、あたし、あたし、本当はいつも神様にお願いしてたんだ。誰もここから出て行きませんように。そりゃあ誰かが出て行けるのはとっても運のいいこと。素晴らしいこと。パパとママができて、柔らかいベッドで眠ることができれば、最初から幸せな家の子供だったように信じることができるかもしれないよ。でも、でも、みんな家族のはずだったじゃないか。神父様とシスターをパパとママだと思いなさいって。あれはなんだったの？　いつも残される子がどんなに悲しいみじめな思いをするか。元気でねと笑って手を振って、門の向こうに姿が見えなくなってから、歯を食いしばって自分のベッドに飛び込むのさ。ねえ、いつも選んでもらえない子はどうすればいいの？

サリーにはあまり長い台詞《せりふ》がない。この二つがほとんど全てと言っていい。読まされるとしたら、この二つのどちらかだろう。

他の子たちもそう思っているのは確かだ。みんなぶつぶつと台詞を呟《つぶや》いている。

麻里花は、この台詞をもう暗記していた。サリーはエミーよりも二歳くらい年上で、孤児院では古株だ。口が悪くて喧嘩《けんか》っぱやいけれど、それは淋しがり屋で優しい心の裏返し。みんなの面倒見がよくて子供たちには慕われているけれど、養子を探しに来る大人たちはなかなかサリーを選んでくれない。

なんだかあたしたちみたいだな、と麻里花は心の中で小さく笑った。

大人たちはよりどりみどりの孤児院にやってくる。子供たちは自分を選んでほしい、自分を暖かいベッドのある家に連れて帰ってほしいと心から望んでいる。でも、大人たちは自分の好みを言いたい放題。選ぶのは大人だからだ。この子は横顔が今いちだね。ちょっと今度のイメージじゃないんだなあ。もう十歳なの？　もう少し若い子いないの？　背が高過ぎるな。なんか、笑った感じが写真と違うよね。

何を言われても、あたしたちはにっこり笑って待っていなければならない。選んでくれるのは新しいパパとママの方なのだから。暖かいベッドを持っていて、そこに眠ることのできる子供を選べるのは新しいパパとママなのだから。自分の望み通りの子供を見つけて連れ出したら、残っているその他大勢には振り返りもしてくれない。残された子供は固いベッドに飛び込んでじっとみじめな気持ちを噛みしめる。でも、いつか。いつか自分を連れて帰ってくれる新しいパパとママがいるはずなんだ。

ぼんやりしている自分に気付き、麻里花は我に返った。

いけない、いけない。とにかく目の前のオーディションに集中しなくっちゃ。今ここにいることを選んだのはあたしなんだから。

しかし、気が散る原因が台詞の内容だけではないことに彼女は薄々気付いていた。

さっきから、おなかが少しずつ痛くなってきているのだった。

最初は緊張のあまりの気のせいかと思ったが、それにしてはいつもと痛みを感じる場所が違う。緊張した時は、いつもみぞおちが締め付けられるようになるはずなのに、今痛みを感じるのはもっと下腹の方だ。

なんでだろう？　何かおかしなもの食べたかな？　でも、お昼はグラタンだったし。

麻里花は必死に台詞に集中しようとしていたが、そうすればするほど、おなかはシクシクと痛みを増してくるような気がする。

痛い。やっぱ、痛いよね。

明子は待ちくたびれたのか居眠りをしていた。みんなが台詞を読む声がぶつぶつとお経のように控え室に響いている。麻里花の出番までは、あと八人くらいだろうか。

麻里花はだんだん心臓がどきどきしてきた。どうしよう。おなかが痛くてきちんとオーディションを受けられなかったら。どうしよう、途中でトイレに行きたくなっちゃったら。どうしよう、どうしよう。

明子はすっかり眠りこんでしまっていて、声を掛ける気にはならなかった。明子が大騒ぎをするのは目に見えているし、「えっ、おなかが痛いの?」なんて言ったら、ライバルが一人減ったと、周りの子を喜ばせるだけだ。それは麻里花のプライドが許さなかった。もしかすると、怖くなってオーディションを逃げたんだと思われるかもしれない。そんなのは絶対嫌だ。

痛むなら痛むで、早くすっきりさせた方がいいのに、そこまではせっぱつまっていないのが困る。我慢できそうな痛みと、我慢できなくなりそうな痛みの間を行ったり来たりしているので、なかなかトイレに行く決心がつかなかった。

どうしよう、どうしよう。

麻里花は台本を広げて冷や汗をかいていた。

そんなに行きたくはないけれど、やっぱり今のうちに行っておこう。自分の番に間に合わなくなると困るし。

麻里花は立ち上がり、トイレに向かった。

トイレは空《す》いていた。やはりよくオーディションで見掛ける子の親どうしが三人でひそひそ話をしている。

麻里花は一番隅っこの個室に入った。だが、痛む割にはなかなか便意が襲ってきてくれない。麻里花はイライラし、泣きたいような気分になる。もう、なんでこんな時に。出るなら早く出てよ。

「——玲菜ちゃんのお母さんでしょ？」

ひそめた声にその名前を聞いて、麻里花はぎくっとした。

なんだろ？　おなかの痛みをひとまず置いておいて、思わず耳が吸い寄せられる。

「うちもやられたわよ、TV番組のオーディションで」

「庸子ちゃんもやられたって。最終の時に」

「知ってる人は絶対あの人の近くに座らないもの」

「ヘンだなって思ってたのよ。たいてい自分の子に飲ませるためにあんな魔法ビン抱えてきてるんだと思うわよね？　でも、あの人ったら、飲ませるのは他の子ばかり。玲菜ちゃんに飲ませてるところなんて見たことないわよ」

「あれ、便秘の薬を混ぜてるって噂よ」

「便秘の薬？」

「ほら、漢方薬を主成分にした、女の人向けの便秘薬があるじゃない。下剤ほどじゃなくて、効き目が穏やかだって宣伝してる奴。あれを砕いて、溶かして、飲み物に混ぜてるのよ。漢方薬だと、もし何かあっても、あとから調べても分かりにくいって言うじゃない？　下剤そのものを使ったら、体重の少ない子供には危険でしょ。だから、そんなにひどい症状が出ないようにしてるのよ」

麻里花は再び胸がどきどきしてきた。だが、それはおなかの痛みのせいではない。

何、これ。何の話をしているの？

脳裏に白い紙コップが浮かんだ。

うちでカルピスを詰めて持ってきたんだけど、麻里花ちゃんもどう？

玲菜ちゃんの母親のゆったりした笑顔。

そうだ。午後になってから、あたしが口にしたのはあのカルピスだけ。それまでは何ともなかったのに。確かに、玲菜ちゃんはカルピスを飲んでいなかった。見向きもしなかった。きっと、飲まないように言い聞かせられているのだろう。

信じられない。信じられない。そんな卑怯《ひきょう》なことをする人がいるなんて。しかも、大人のくせに。母親のくせに。玲菜ちゃんはいつも選ばれる子供のくせに。

麻里花はショックと怒りと悔しさとがいっぺんに込み上げてきて、頭の中が熱くなった。と同時に、激しい痛みがおなかを突き上げてきて、思わず顔をしかめた。

24

ぽつぽつと顔に当たる雨を感じながら、春奈たちは山手線に乗って、一駅で東京駅に着いた。その間、むっつりと黙り込み、誰もお互いの顔を見なかった。黙々と歩き、丸の内側の改札を出る。副幹事長の亀田は連合会で総会の準備をするために帰っていった。

「第二ラウンドはこの東京ステーションホテルだ。中に、カウンターの喫茶店兼バーがある。昼間は空いていて穴場だ。こぢんまりしていて、静かで話もしやすい。我々はここで張り、最初に入ってきた客を観察する。一つ、その客は何歳か。一つ、どういう家族構成か。一つ、何の職業か。一つ、今までどこにいたか。一つ、これからどこに行くか。この五つを推理する」

「ねえ、それってどうやって確かめるの？」

「俺がその客に聞いてやるよ」

「すんなり答えてくれるかしら？」

「学生で、社会行動学の研究をしてるということにする。ダミーのアンケートも作ってあるから信じてもらえるさ。俺って真面目に見えるしさ」

最後の部分には疑問を覚えたが、とりあえず二人は頷《うなず》いた。

「じゃあさ、その客が二人連れかなんかでその内容を自分で喋《しゃべ》っちゃった場合はどうなるの？」

「それはラッキーということで許してやる。話の内容が聞こえたら、それはそれで推理の材料にしてもいい」

「ふうん」

気のない返事をしつつも、忠司はむらむらと闘争心が湧いてくるのを感じた。

身なりや持ち物でその人の職業や家族構成を当てる。シャーロック・ホームズの頃から行われてきたポピュラーな推理だ。よし、これで一気にポイントを稼ぐぞ。

春奈の方でも、さっきのショックを忘れてやる気が復活してきた。

これなら大丈夫。あたしの他人に対する観察眼は、ファイナンス会社に勤めてる姉貴の折り紙付きだもの。

二人は闘志を秘めて、蒲谷と共にホテルの中に入ってゆく。

25

若い男が二人と、若い女が一人入ってきた。

浅田佳代子はちらりと少しだけ視線を投げた。

どう見ても学生だ。Tシャツにジーパン、野球帽に眼鏡。いかにも今時の学生である。

三人はきょろきょろと辺りを見回し、カウンターのそばに一つだけあるテーブル席に腰を下ろした。

学生がこんな場所にやってくるのは珍しい。なんでこんな時間に、ここに？

佳代子はさりげなく彼らに向かって背を向けた。あまり顔を見られたくなかった。

ウエイトレスが注文を取りに行く。彼らは揃ってコーヒーを頼んだ。

なんとなくじろじろとこちらを見ているような気がして、佳代子は嫌な感じがした。

あの子たち、何をじろじろあたしを見てるんだろう？　何かおかしいと気付いたのかしら？　なんだか長居をしそうで嫌だな。とっとと帰らないかしら。でも、学生って長っ尻《ちり》だから、ずるずるといつまでもだべってたりするのよね。

佳代子はかすかな焦りを感じた。それまではどす黒い激しい怒りのみが心の中を埋め尽くしていたので、そんな自分に動揺した。

落ち着くのよ。知らん振りをしていればいいの。あたしは今、仮の姿なんだから、この姿で覚えられても平気なのよ。むしろ、あの子たちがあとで何かを証言することになったとしても、この姿を覚えていてくれればありがたいわ。

佳代子はいろいろな思いが頭の中で爆発しそうになるのをかろうじてこらえながら、じっとその場所に座っていた。

26

「なんだか変わった人ね」

「思いっきり年齢不詳だよな」

テーブル席では、忠司と春奈がひそひそと話をしながら、カウンターに座った女に注目していた。視線を感じたのか、女はさりげなくこちらに背を向けてしまった。

鮮やかなピンクのスーツ。肩の下で切り揃えられた黒い髪。大きなサングラス。濃い口紅。足元に置かれた『どらや』の大きな紙袋。膝《ひざ》には黒のハンドバッグ。

一人で座っているのだが、コーヒーには手はつけられていない。

「これは難しいな」

「女よね。なんだか、一瞬男が女装してるのかと思っちゃった」

そんなことを言いながら、二人は蒲谷から渡されたメモに書き込む答を必死に頭の中で探している。

春奈は、カウンターに座ってる女に奇妙な違和感を覚えた。

なんだかその人がその人でないような感じ。

スーツは手を通したばかりらしい新品なのに、なんだか借り物のように見える。なんとなく、肩がだぶついているようなのだ。

サイズが合っていない？

春奈はそう気が付いた。

だから、男が女装をしているような印象を受けたのだ。やはり、借り物なのだろうか。それとも、長いこと病気でもしていてサイズが変わってしまったのかもしれない。これから郷里かどこかに帰るところなのかも。うん、そういう路線かな。彼女は身体を壊して今まで入院していた。これから郷里に帰ろうとしている。そういう目で見れば、顔色はどことなく悪いし、肌が荒れていてファンデーションの乗りが悪い。かなり痩《や》せた人のようだ。サングラスをしているのも、体調が悪いせいなのかもしれない。友人でアトピーのひどい子がいて、目の周りにも症状が出てしまっている子がいる。彼女は授業中にサングラスを掛けていたので、先生にひどく怒られたのだが、あとでサングラスを外してみせたら同情されて、かえって謝られてしまったほどだ。それほど、この女性にはサングラスが似合っていなかったし、顔の半分を覆うような大きなレンズが滑稽《こっけい》にすら見えた。これでは顔を隠しているとしか思えない。

忠司は苦戦していた。

このくらいの歳の女って、全然分からない。二十代後半くらいにも見えるし、ひょっとすると四十くらい行っているのかなとも思う。指輪は左手中指のみ。結婚はしていない。でも、最近の女は分からないけれど。もしかすると、バツイチかもしれない。この暗いムードは、別れたばかりとか。手の甲を見ると、案外若いのかなという気もする。白くてほっそりとして綺麗《きれい》な手だ。なんでこんな変な格好してるんだろう。女の服の趣味は、どうしてああも人によって違うのだろう。この女は、芸能プロダクションのマネージャーで、若い男の子を売り出すのに失敗したみたいに見える。うん、それはいいかもしれない。この格好って、なんとなくマネージャーって感じがするぞ。スーツは新品だ。結婚に破れ、仕事にも失敗した女が、心機一転を図り、次の新しい金の卵と待ち合わせている。うん、場所もちょうどいいよな、東京駅だもの。地方から上京してくる、中学を出たばかりの新人アイドルと待ち合わせしているんだ。コーヒーに手を付けていないのは、緊張しているからだ。今からやってくる子が、彼女の運命を握っている——

二人は頭をかきむしったり、テーブルをとんとん叩《たた》いたりしながら、さんざん考えた。制限時間は二十分。蒲谷は暫《しばら》く腕時計を見ていたが、やがて「やめ」と小さく言って、二人からメモを回収した。胸ポケットにメモを入れ、彼は持っていたカバンの中からアンケートのようなコピーの束を取り出した。

「じゃ、行ってくるぜ」

軽く笑みを浮かべてみせてから、蒲谷はゆっくりとその女に近付いていった。

「あのう、お忙しいところすみませんが、ちょっとお尋ねしてもよろしいですか？」

女がギョッとしたように振り返る。

蒲谷は、随分なリアクションだなと思ったが、笑みを崩さずに言葉を続けた。

「あ、すいません、僕たち怪しいものじゃないんです。W大学商学部のゼミ研究で、広告代理店と協力してアンケートを取ってまして、今、東京駅周辺の乗客たちの動線を調べてるんです。それで、幾つか質問に答えていただければと」

澱《よど》みなく話しながらも、今度は蒲谷の方がぎょっとして次の言葉を飲み込んでしまった。

女が見る見るうちに形相を変え、激しい怒りを露《あらわ》にしていることが、サングラス越しでも分かったからである。

「あの、すみません。決してお時間は取らせませんから」

蒲谷はおろおろした。ここで答えて貰《もら》えなかったら、幹事長を決めるためのテストが水の泡になってしまう。

「——誰なの？」

女が低い声を漏らし、蒲谷はそこでようやく彼女の怒りの対象が自分ではないことに気が付いた。彼女は、彼を通り越して彼の後ろを見ているのだ。

蒲谷は思わず後ろを振り返った。

そこには、ハッとするほど美しい男女が立っていた。どちらもスラリと背が高く、鮮やかなスーツを着て、じっとこちらを見つめている。そこだけ光が当たっているように見えるほど、華やかな容姿の二人である。しかし、二人は青ざめて真剣な表情だった。二人は全く蒲谷のことなど見ておらず、蒲谷の後ろに座っている、サングラスを掛け怒りを露にしている女のことしか目に入っていないようなのだった。

27

ゆるやかに広がる田園地帯の中の、のどかな町外れの一角に、真っ白で大きな看板のかかった店舗がある。

『ぴざーや習志野店』と書かれた白い看板は、小さな照明でライトアップされている。

店の前には白いボックスを後部座席の上に載せたバイクがずらりと並んでいる。

風混じりにパラパラと降る雨のせいで昼間だというのに辺りは暗い。間口は狭く、中ではPという赤い頭文字の入った白い帽子をかぶった若者がせわしなく動き回っている。

その中で一番落ち着いていて年嵩《としかさ》の男が、ぎゅっと帽子をかぶり直し、店内をねめつけた。

真っ赤に染めた髪はつんつんと針ネズミのように立って帽子からはみだし、耳には五個のピアスが光っている。鍛え上げた筋肉はぴちぴちになっているTシャツの袖《そで》を破って飛び出しそうだ。精悍《せいかん》な顔を見ると、ちょうど目と目の間から額に掛けて縦一直線に伸びる三センチほどの傷跡が目につく。その下には静かだが鋭い目が並んでいて、この青年はただものではないという迫力を感じさせる。

彼は他の若者が自分に注目しているのを確認すると、低く凄味《すごみ》のある声で叫んだ。

「よし。ジュン、タキ、行くぞ。リョウタ、しっかり留守番頼むぜ。今シンとタケシを呼んだから、配達の方は大丈夫だろう」

「店長、エリコ姉さんによろしく。また姉さんの勇姿が見たいって伝えてください」

「いいなァ、エリコ姉さんにモノ頼まれるなんて。俺たちも行きたいっすよ」

「へへへ。妬《や》くな妬くな」

口々に声を上げる若者たちの中で、ヘルメットをかぶりながら二人の小柄な若者が得意そうに笑う。店長と呼ばれた青年は、浮かれ気分を引き締めるようにみんなに視線を走らせた。

「店を閉めるわけにはいかないからな。おまえら、しっかり店守ってくれよ。天気悪いし週末だし、注文増えると思う。キャンペーン中だからシュウマイ勧めるの忘れるなよ。帰ってきたら、今夜は俺の奢《おご》りだ」

ひゅうっ、という口笛が一斉に店内に響き、小雨の中、三人の男たちが外に走り出た。

若者二人はそのまま店の前のデリバリー用のバイクに飛び乗るが、店長は店の裏側に回った。すぐに、獣の唸《うな》りのような重低音で何か重いものが近付いてくる。

「店長、久々の愛機っすね」

「昼間にお目に掛かるのは久しぶりだなぁ」

闇の中から巨大なマシンが現れた。

黒光りするそのオートバイは、もはやオートバイというよりも装甲車を流線形に造り直したような迫力である。持ち主の性格が乗り移ったかのように、精悍でパワーを秘めたマシンはそれ自身が意思を持っているように見えるのだ。じりじりと進んでくるそのマシンに手を掛けている青年の腕に筋肉がピンと張っているのを見ただけで、並大抵の体力の人間に転がせる代物でないことは明らかだ。

「出たあ、バッファロー号」

バイクに乗った二人は、うっとりした声で叫んだ。

「行くぜ」

黒いヘルメットをかぶった男が言った。

ダリオは当惑していた。

どうも、普段彼が暮らしているロサンゼルスのフラットとは様子が違うようである。床には絨毯《じゅうたん》が敷いてあるし、めまぐるしく歩いている人たちはフラットの住人ではないようだ。

主人の旅に同行したのは今度が初めてではなかったが、じっとしているのは苦手ではないとはいえ、今回は狭い籠《かご》の中であまりにも長時間過ごしたのでさすがに飽き飽きした。いつまでも外に出して貰えないのを不満に思って籠の蓋《ふた》を鼻でつっつくと、移動中の振動でゆるんでいたのかあっけなく開いた。ダリオは用心深くゆっくりと籠から顔を出す。見知らぬ部屋。でも、主人がしょっちゅう手にしている黒いケースがいっぱい積み上げられているのは、紛れもなく主人が近くにいることを示している。ごみごみしたフラットは見慣れているが、いつもの主人の部屋ではないようだ。

彼はひょいと椅子に飛び乗り、更にライティングデスクの上に飛び乗った。

やはり、いつもの主人の部屋ではない。どこか別の場所にいるのだ。空調が利いてはいるものの、彼はこの部屋の外はウエットな気候の国であることを感じ取っていた。

ライティングデスクの上には、見たことのない文字の書かれた額がかかっている。

昭和三十年代、東京駅は一番線から十五番線まで、間に列車が入らないで見渡せる時間帯が一日に四分間だけあった。この四分間を使ったトリックが主題になった松本清張の代表的推理小説『点と線』は、清張が二〇九号室に泊まって思いついたと言われている。

むろん、ダリオにはその額と隣に入れてある古い時刻表と本の表紙の意味など分かるはずがない。

ドアが開いたので、ダリオは慌てて籠の中に逃げ込んだ。

見たことのない女がワゴンを押して入ってきて、掃除とベッドメイクを始める。

床やテーブルに積み上げられた黒いケースを見て悩んでいるようだ。

触んない方がいいよ、とダリオは思った。片付けてもどうせすぐにごちゃごちゃになるんだから。

彼女はダリオの心が通じたのか、テーブルの上には手を付けずにバスルームの掃除を始めた。

ダリオは籠から首を伸ばし、廊下に面したドアが開いているのを見た。

ちょっとくらい散歩に出てもいいだろう。こんなに我慢したんだから。

ダリオは素早く絨毯の上を走り、廊下に出た。

29

大柄な金髪の白人男性が、部屋に戻ってきた。外出していたらしく、帽子を脱いでウエストポーチとビデオカメラをテーブルに置いた。汗だくなのが気持ち悪いらしく、手で首筋を拭《ぬぐ》って顔をしかめる。我慢しきれぬようにバスルームに入っていく。

暫《しばら》くシャワーを使う音が聞こえたのち、男はタオルで頭をこすりながら出てくると、さっぱりした表情でテーブルの上のリモコンを手に取り、ビデオデッキのスイッチを入れた。

画面に暗い場面が映しだされると、鼻歌を歌いながらどっかりと椅子に腰を下ろして熱心にビデオの画面に見入っている。

今回、わざわざ頼んで日本側の配給会社のスタッフにビデオデッキとTVを運びこんでもらったのだ。コーヒーテーブルの上には今にも崩れそうなほど大量のビデオテープが積み上げられている。スタッフはもっと広い部屋のあるホテルを取るつもりだったらしいのだが、彼は友人から東京ステーションホテルのその部屋は日本の有名なミステリ作家が執筆に使っていたと聞き、自分もそこに泊まりたいとわざわざ頼んだのだ。豪華な部屋や食事なんかに興味はない。一歩外に出れば、幾らでも見たいものや行きたい場所があるのだ。どうせ日本にいる間はイメージを膨らますためにロケハンに費やし、それ以外はこうして日本のビデオを見ることに決めていたので、部屋はどうでもよかった。

ビデオテープの背表紙はやたらとおどろおどろしい文字が躍っている。どれも日本の怪奇映画やミステリ映画だ。古典から最近のヒット作品まで、手当たり次第に集められたらしい。

部屋の中はごちゃごちゃである。ベッドの上にはTシャツやらジャケットやらが広げられ、デジタルカメラと『JAPAN』と書かれたガイドブックが置かれている。床にはノートパソコンが放り出してあるし、トランクも投げ出したままだ。

男性は四十歳前後というところか。なかなか整った顔だちで、体格はがっしりしている。だが、あまり着るものには構わないと見えて、青いTシャツと膝《ひざ》下までの綿のパンツはくたくただ。そのブルーグレイの瞳《ひとみ》は真剣にTVに向けられている。

TVの画面の中では、湖の中からにょっきりとV字型に男の裸の足が飛び出していた。

彼はその構図がたいへん気に入っていた。人気のある原作らしく、何度もリメイクされている映画だが、いつもこの場面は忠実に再現されている。

ふむ、これはいいな。次回はこのポーズを被害者に取らせよう。日本のホラーファンにはポピュラーな場面だというからきっと受けるに違いない。

フィリップ・クレイヴンは『水の中からV字型に足』と手帳に書き付けた。こういう時の彼は、自分でメモをしているという自覚がない。映像を見ながらも、頭の中ではさまざまなイメージやアイデアのかけらがめまぐるしく行き交っていて、自分でも映画を見ているのか映画を見ている自分のイメージを見ているのか分からなくなる。

彼は興奮していた。あまり日本語は分からないけれども、普段アメリカで見ているB級ホラーとは違う独特の雰囲気がある。ティーンエイジャーが着ている制服もストイックで暗喩《あんゆ》に満ち、不思議な怖さを感じさせる。時代劇を絡めた白黒映画はこの世のものとも思われぬほど美しいし、絵を見ているだけであきない。それに、ホラー映画は言葉が分からなくとも世界共通でだいたい意味が分かる。今回の滞在で必ずや良いプロットが書けるだろうと彼は確信していた。

東京に来るのは三度目だが、今回は『ナイトメア4』の大々的なキャンペーンが第一の目的だった。彼の作る映画は世界中のティーンエイジャーに人気がある。彼の誇りは、自分の映画が派手に悲鳴をあげたい若者をひきつけるジェットコースタームービーであるとともに、ホラーやミステリ好きのマニアにも受ける要素に満ちているところである。日本でも監督兼脚本家として彼の名前は知られるようになり、しっかりしたファンが付き、興行的にも堅調であったので、二作目からは宣伝にお金をかけてもらえるようになった。今回の初日の挨拶《あいさつ》では熱狂的な歓迎を受け、大いに気を良くした。日本のファンはレベルが高く、浮気をせずに丁寧に細部を見てくれるのでこういう映画の撮り手としては実に心強い。

日本のスタッフは優秀で、こちらの心が読まれているのではないかと思うほど細かいところまで配慮が行き届いているので感心する。特に今回彼の通訳兼世話役を務めてくれているクミコは、しっかりしていてなおかつ神秘的な女性で非常に気に入った。

彼女は相当ホラー映画に詳しく、しかもあまり公にしないものの本人にも霊能力があるのだと他のスタッフが教えてくれた。大学では日本の古典を学んでいたらしいが、なんでも、どこかの大きな神社の神官の娘なのだそうだ。

さっき彼がロケハンに出かける前に彼女がこの部屋に来て、いきなりフッと黙りこみ、部屋を見回した時はぎょっとさせられたものだ。

「あなたの他に誰かいましたね、この部屋」

まさかと笑い飛ばしたが、彼は気が気ではなかった。確かにもう一人——いや、一人という表現は正しくないか——この部屋の中に存在していたからだ。

「クミコ、まさかミステリ作家の霊がいるなんて言わないだろうね」

「そういう感じではないんですが——でも、何か感じます」

クミコはじろじろと散らかった部屋の中を見ていたが、失礼だと感じたらしくハッと我に返ると、いつもの柔らかな笑顔を見せ、「また夕飯の時に迎えにきます」と部屋を出ていった。フィリップは、クミコが「どこかご案内しますか」と尋ねたのだが、天気も悪いので夕食の時間までビデオを見ることにしたのだ。それに、日本の夏はまさに亜熱帯だ。

こんなに身体に粘り付く暑さは体験したことがない。丸の内を歩くサラリーマンがスーツを着ているのが信じられなかった。拘束服の方がまだ風通しがいいような気がする。これなら徹夜で映画を撮っている方が楽だ。

フィリップはビデオに没頭していた。

が、ふとある瞬間、何かがおかしいと気付いた。

静か過ぎる。

フィリップは不安になって、ベッドの隅の大きな紙袋を覗《のぞ》き込んだ。

その中には、細長い大きな籠《かご》が入っていた。

「ダリオ？」

フィリップはそっと呼び掛けてみた。眠っているのだろうか。エアコンの吹き出し口が近いから、体温が下がってしまったのかもしれない。

「ダリオ？」

彼はもう一度呼び掛け、籠に手を触れてみてギョッとした。

籠はいつのまにか蓋《ふた》が開いていて、中はもぬけのからだったのである。

30

雨は断続的に続いていた。

義人が止んだかなと思って駅の外に出ようとすると、また激しく吹き付ける。横殴りの風混じりだけに始末が悪い。

何人か敢然と外に出ていった乗客もいたが、暫《しばら》くするとそのうちのほとんどがずぶ濡《ぬ》れになって戻ってきた。やはり車がつかまらないらしい。最初のうちは義人と一緒に呆然《ぼうぜん》と駅の入口で立っていた乗客も、あきらめて電車が動きだすのを待とうと電車に戻っていき、今やぽつんと立っているのは義人だけになってしまった。

義人はうらめしそうに空を見上げながら、北条和美の電話を思い出していた。

のろのろと腕時計を見ると、もう二時半になろうとしている。半ばあきらめ顔になる。

ピザ屋のバイクか。あれって確か五十cc程度ではなかったろうか。そもそも後ろに人が乗れるのだろうか。町で見掛けるピザ屋のバイクは一人乗りだったはずだし、あのバイクではそんなにスピードは出そうもない。かなり時間がかかるのではないだろうか。

駅前のアスファルトが真っ白に見えるほど激しく叩《たた》きつける雨を見ながら、彼はこれじゃあ濡れるのは避けられないなとぼんやり考えていた。契約書は封筒に入れてあるが、カバンに雨が染み込んでしまうかもしれない。せめてクリアファイルを用意しておけばよかった。ああ、なんて運が悪いんだろう。よりによってこの日、この時間になんでこんな大雨が。

義人は溜《た》め息をついた。疲れがずっしりと肩にかかり、全身が汗だくで気持ち悪い。と、雨の音に混じって遠くから何か異様な音が近付いてきた。

うわ、また雷か？

義人は思わず後退《あとずさ》りをした。彼は子供の頃から雷が嫌いだった。まだ彼が子供の頃は、雷様におへそを取られるぞという言葉を祖父母と両親に叩き込まれた時代だったのである。それでなくとも少年時代の彼は気が弱く、雷が怖くてトイレに行けず、おねしょをして兄たちにさんざん馬鹿にされたものだ。

だが、雷にしてはやけに規則正しい音だ。はて、なんの音だろう？

音はますます激しくなった。どっどっどっという音は雨音をも消し、地響きすら伴っているようである。

義人は不安になった。何となく嫌な予感がした。

突然、カッ、と明るい光が彼の目を射る。思わず手をかざしたが、その光は彼に向かって進んでくるではないか。

義人は目の前に現れたものを見て呆然とした。

最初は戦車が現れたのかと思ったくらいである。そのくらい、目の前に止まっているオートバイは大きかった。幅も広く、重たそうなマシンの前に、投光器かと見まごうような巨大なライトが付いている。

まさか、これじゃないよな？　ピザ屋がこんなのに乗ってるわけないもんな。と、その後ろから白いバイクが二台付いてきたのでそちらに視線が引き寄せられる。あれか？

鈍い響きが消えて、激しい雨の中、黒いヘルメットにライダーズジャケットをきちんと着込んだ大柄な男が降り立ち、のしのしと義人の方に歩み寄ってくるのを彼はぽかんと口を開けて眺めていた。

「お待たせしました。エリコ姉さんの上司の額賀さんで？」

そのこわもてっぽい男がドスの利いた声で口を開いたので義人は仰天する。

「は、はいっ。確かに私が額賀で」

背筋を伸ばし、裏返った声で返事をしながら、エリコ姉さんとは誰だろうと頭の中で考えていた。こんなこわもてとつきあいがある社員がうちにいるのだろうか？

男は後ろから駆けてきた若者に頷《うなず》いてみせた。彼らはヘルメットと雨合羽《あまがっぱ》を手にしていて、動揺している義人にたちまちヘルメットをかぶせ、雨合羽を着せた。義人はテロリストに拉致《らち》された人質のような気分になる。

「さっ、後ろに乗ってください。カバンは雨合羽の内側に入れておいた方がいいでしょう。しっかりつかまっててくださいよ。何があっても絶対に手を放さないように」

　男はマシンに跨《また》がると、「何があっても」を強調した。

　義人はその一言だけで既に臆病風《おくびょうかぜ》に吹かれている。

「ご心配なく。一時間以内でお届けします。しかし、兄さん、いい体格してますな。やっぱこのマシンで良かった」

「ぴっ、ピザ屋だと聞いてたんですが」

「ええ。うちは関東一配達の速いピザ屋だと自負しております。一分でも遅れようものなら、俺がきちんと社員に落とし前を付けることになってますから、社員も誠心誠意お客様に商品をお届けしております。今後とも『ぴざーや』をごひいきに」

「はっ、はあ。これからは残業には毎回ピザを食べます。あの、すごいマシンですね。こ、これ、何ccくらいあるんですか」

「お褒めの言葉、ありがとうございます。今日は自分のマシンで参上しました。八千ccくらいですね」

「はっ、はっせん」

　そんなオートバイがあるなんて知らなかった。

「乾燥重量で五百キロはあるんで、飛ばした時の安定性はいいです。ただ、スピードを追求するとコーナリングとの兼ね合いが難しい。でも、お任せください。そこは俺もエリコ姉さんの一番弟子ですから。今日は雨ですが二百キロは突破してみせます」

えりこ。誰だ？　支社の職員か？　それともどこかの営業職員かな？

「姉さんが引退した時は関東連合の傘下にいた五百人が泣いたものです。でも、あの引き際の良さがまた姉さんらしい。今ではすっかりかたぎで保険の契約書を管理してるとか。なかなかできないもんです」

男の声に懐かしさが滲《にじ》んだ。

契約書？　まさか、加藤えり子？

義人の脳裏に、支社で仕事をしている上品で無口な加藤えり子の姿が浮かんだ。

まっ。まさか。このあいだ知り合いに頼まれて彼女に見合いを紹介したところなのに。

義人の頭は大混乱に陥った。普段のしとやかな彼女と、今目の前にいる男の言う彼女とが全く重ならない。まさか、そんな。人違いだ。きっと彼は勘違いしてるんだ。

彼は必死に自分に言い聞かせた。

地鳴りのようなエンジン音とその振動が尻《しり》の下から混乱した頭まで突き上げてくる。

雨の中、不気味な音を立ててゆっくりとバイクが動きだした。

「あ、あの、後ろの二人は」

静かに付いてくる白いバイクを振り返りながら義人は大声で叫んだ。

「あれは護衛ですよ。だいじょうぶ、うちの支店では独自にあの機種にバージョンアップを加えてるんで、ちゃんと付いてこれます。恐らく途中でお客さんが現れると思うんで、そのためにちょっと」

「お客さん？」

そう尋ねようとした義人は、その言葉が無意識のうちに絶叫に変わっていた。

突如、バイクが凄《すさ》まじい加速を開始し、全身に激しい重力が掛かったためであった。

ああ、俺がここで死んだら定期保険付終身五千万、養老保険二本で二千万、合計七千万だ。事故だから災害保障も全額出るな。審査に最短で中三日。労災認定はどうだろう？

そう脳裏で素早く計算してしまう自分を心のどこかで悲しく思ったが、たちまちそんな考えも吹き付ける風と雨の中にふっとんでいき、頭の中は真っ白になった。

31

麻里花はふらつく身体を支えながら、ドアを開いて中に入った。

中には緊張と疲労が入り交じった空気が流れていた。

三人の男が長い机を前に座っている。中央には演出を担当する初老の男。おかっぱ頭が見事な白髪だ。向かって右には舞台監督。がっしりした、五十くらいの口髭《くちひげ》を蓄えた男。

そして向かって左には、ソフトだがしたたかな感じのするやはり五十くらいのプロデューサーが座っていて、その男だけがスーツ姿だった。机の上には履歴書の束が広げられていて、みんなが麻里花のページを見ているのが分かった。いつもこの瞬間嫌な気分になるのだが、今の麻里花はそれどころではなかった。

机の上のアルミの灰皿は、もう吸い殻が山盛りになっていた。鈍い人工的な明かりに、ゆらゆらと煙草のけむりが混ざっている。けむりの匂いがいつになくこたえた。

「鮎川麻里花さんですね。そこに掛けてください」

真ん中に座っている演出家が履歴書に目を落としたまま声を掛けた。

麻里花はそろそろと進んでゆき、三人の正面にぽつんと置いてある折り畳み椅子に腰掛ける。姿勢良く歩きたかったが、どうしても前のめりになるのは仕方がない。

いいですか、面接の部屋に入る時からオーディションは始まってるんですよ。

劇団の先生の声が脳裏に浮かんだし、プロデューサーがそんな自分をじっと見ているのに気付いていたのだが、背筋を伸ばすとまたおなかが痛くなるような気がするのである。本当はおなかを抱えたいほどなのだ。麻里花はおなかをかばうように両手を膝《ひざ》で組んだ。

「あなたは、サリーはどんな性格の子だと思いますか？」

演出家がそう質問し、顔を上げて「おや」という表情になった。

「顔色が悪いですね。具合でも悪いんですか？」

そうきかれて麻里花はぎくりとした。やはりそんなふうに見えるのか。

無理もない。麻里花は軽い脱水症状に陥っていた。ほんの少し前まで、腸や胃袋が裏返って肛門《こうもん》から出てきてしまうのではないかと思ったくらい、断続的な激しい下痢に襲われていたのである。もう出すものはないのに、何かの拍子にいつでも胃腸は蠕動《ぜんどう》運動を繰り返そうとするので、そうっと身体を揺らさないように廊下を歩いてきたのだ。

麻里花は必死に笑みを浮かべ、左右に首を振った。

「いいえ。緊張してるんです。待っている間に、いろいろ考えちゃって」

「どんなことを？」

興味を覚えたように演出家は尋ねた。

「何を聞かれるのかなあとか、ちゃんとできるかなあとか、外の天気はどんなかなあとか」

「外の天気？」

麻里花は不用意な返事をしてしまったことに気付き、一瞬唇を嚙《か》んで考えこんだ。唇はかさかさしていて、苦い唾《つば》の味がした。「ええと」と言おうとしてぐっと言葉を飲み込む。

また先生の声が聞こえてきたのだ。

意味のない間投詞は極力避けなさい。ええと、とか、なんか、とか、やっぱり、とかいう言葉を使うのは聞き苦しいものです。答える時は堂々と、きちんと言葉を組み立てて。

「オーディションの時って、全然違う空気が流れてるんです。外では雨が降って風が吹いてるのに、ここでは別の国の別の時間が流れてる。そのことを考えると、とっても不思議な気分になるんです。なんであたしはここで、見たこともない人の台詞《せりふ》を喋《しゃべ》ってるんだろうって」

最初はもっとそれらしいことを言おうとしていたのに、口を開くと麻里花は自分の声が独り言のようになっていることに気付いた。ああ、なんだ、この答は。わけわかんない。全然駄目じゃんかよ。何言ってるんだろ。椅子が沈みこむような絶望を感じる。

演出家はじっと麻里花を見ていた。

隣のプロデューサーが意地悪そうな冷笑を浮かべて口を開いた。

「いつも人前に出る時は上がるんですか？　緊張するほう？　どうして舞台をやりたいと思ったの？」

「それは」

麻里花は目を伏せ、分からないように唾を飲み込んだ。

「緊張するからです」

「え？」

三人が揃って聞き返した。麻里花は小さく首を振った。

「人見知りを直したいという意味じゃありません。友達にはそういう子もいるけど。緊張するってことは、それがあたしにとって大事なことなんだなって思うんです。その時間はどきどきして、いつも学校や家で感じている時間とは全然違って、三倍くらいの長さに思えます。こんなに緊張するってことは、これからあたしがやろうとすることはあたしにとって大事なんだって思うから。大事なことは大事にしなきゃって」

またしてもヘンなことを言っているような気がして、麻里花はそこで言葉を切ってしまった。

プロデューサーは怪訝《けげん》そうな顔をしているが、演出家と舞台監督は静かな目で真剣に麻里花を見ている。

「サリーはエミーのことをどう思っていると思いますか？」

演出家が尋ねた。

麻里花はなんとなくあきらめに似た気持ちで口を開いた。

「守ってあげたいけど、守ってほしい」

演出家の顔に「？」のマークが浮かんだような気がしたので、麻里花は補足した。

「サリーは、他の誰よりも誰かに守られたいと思っているんです。みんなを守ってあげたいというのは自分を守ってもらいたいからです。エミーを誰よりも守ってあげたいと思うのは、自分を誰よりも守ってもらいたいんです」

部屋の中が静かになった。

麻里花は、どうでもいいような気分になっていた。

もうすぐ終わる。あたしがここ数か月の間迷いながらこうして過ごした時間ももうすぐ終わるのだ。オーディションに御参加いただきありがとうございましたと言われ、誰かの番号が読み上げられ、関係なくなってしまったあたしたちはさっさと追い払われる。外に出ると、普段と変わらぬ陽射しと風が顔に当たって、夢から醒《さ》めたような心地になる。町をゆく人たちに混じって駅に向かって歩き始めると、その時、全てが思い出になる。そして、二度とあたしは、この作り物の時間に戻ってくることはないだろう。わくわくしてどきどきしてあこがれてがっかりする、この不思議な時間を経験することはないだろう。ママになんと言われようと構いはしない。また気が変わるかもしれないし、とりあえず劇団に籍を置いておけばいいわよと宥《なだ》められるかもしれない。ママはまだあの不思議な時間に未練があるのだ。けれど、遠からずあたしは劇団もやめることになるだろう。

「サリーの台詞を覚えていますか？」

沈黙が長かったので、もう自分の番は終わったと思っていた麻里花はハッとして顔を上げた。

「あの、エミーが孤児院に戻ってきた時の台詞ですか？」

「ええ。一番長い台詞です。『ごめんね、エミー』から始まる台詞。それをそこに立って言ってみてください」

麻里花はそろそろと立ち上がった。おなかのどこかがちくっと痛んだので顔をしかめる。

その瞬間、脳裏に玲菜ちゃんとそのお母さんの顔が浮かんだ。

悔しい。憎らしい。でも、その悔しさと憎しみには半分驚嘆が混じっているのをどこかで感じていた。

そこまでしてでも欲しいんだ。玲菜ちゃんのママは、あの不思議な時間をどうしても手に入れたいんだ。玲菜ちゃんがスポットライトを浴び、誰もが玲菜ちゃんを見るその瞬間がどんなことをしてでも欲しいんだ。そんなあのママと玲菜ちゃんに、あわよくばと思ってるくせに、そんなそぶりを見せるのは恥ずかしいと思ってるママや、どうせ一生の仕事にするわけじゃないんだから、といつも自分を慰めてるあたしがかなうはずないんだ。あたしやママにはそこまではとてもできない。

また痛みが走り、思わず麻里花はかがみこんだ。

「──ごめんね、エミー」

その時口から出た、おなかの底から搾り出すような声は、自分の声ではないようだった。麻里花は誰かが自分の身体を借りて喋っているような気がした。

「あたし、ちょっとだけ神様にお願いしちゃったんだ」

おのずと口に浮かぶ苦笑。淋《さび》しげなようでいてシニカルな笑み。自分を守るために習慣になってしまっている笑顔。何も気にしていないふり。傷ついていないふり。

「エミーにここを出ていかせないでください」

麻里花は顔を上げ、天井を見つめた。そこに誰かがいるような気がした。

「あたしの知らない、どこか遠いお屋敷なんか行かないで、またあたしと一緒にいられるようにしてくださいって」

麻里花は胸の前でそっと指を組んだ。

が、ふっと全身から力が抜け、だらりと両腕を垂らす。

身体の中に、なぜか複雑な怒りが湧いてくる。

「嘘。嘘よ」

おなかから低い声を出すと、またチクチクと痛んだ。麻里花は顔をしかめる。

「あたし——あたし、本当はいつも神様にお願いしてたんだ」

青ざめた顔で目をカッと見開く。演出家がハッとして身を引くのが分かった。

「誰もここから出て行きませんように」

麻里花はてのひらを広げ、両手をまじまじと見た。

「そりゃあ誰かが出て行けるのはとっても運のいいこと。素晴らしいこと。パパとママができて、柔らかいベッドで眠ることができれば、最初から幸せな家の子供だったように信じることができるかもしれないよ。でも——でも、みんな家族のはずだったじゃないか。神父様とシスターをパパとママだと思いなさいって。あれはなんだったの？」

麻里花は両手を握りしめ、よろけるように一歩前に出ると、目の前の三人をキッと睨《にら》みつけた。三人が圧倒されたように自分を見ているのが目に入ったが、どうでもよかった。自分は今までもそこに座っていた彼ら、いつも机の前で誰かを選ぼうとしていた彼らに向かって言っているだけなのだ。言ってやる。ここで言ってやる。

「いつも残される子がどんなに悲しいみじめな思いをするか。元気でねと笑って手を振って、門の向こうに姿が見えなくなってから、歯を食いしばって自分のベッドに飛び込むのさ。ねえ」

それはサリーではなく、麻里花の台詞だった。

「いつも選んでもらえない子はどうすればいいの？」

沈黙が降りた。

麻里花は大きく溜《た》め息をついた。とたんに痛みが走り、おなかの中で胃がひくひく痙攣《けいれん》し始めたのが分かった。

あいたたたた。

あまりの痛みに一瞬息ができなくなり、涙が出た。思わずおなかを押さえる。

三人の男たちはそわそわと興奮した面持ちで顔を見合わせ、履歴書を見ながらひそひそと何かを耳打ちしあっている。

「鮎川麻里花さん、ね。今まで舞台の経験はないんですよね」

演出家が履歴書と麻里花の顔を交互に見ながら早口で尋ねる。

「はあ」

麻里花は必死に痛みをこらえながら頷《うなず》いた。

お願い、早く終わって。またおなかが。

「今の動作ね、その身振り手振りは自分で考えたの？」

「はあ、なんとなく台詞を言ってたらそうしたくなって」

麻里花は弱々しく答えた。実際、気がつかないうちに手や足が動いていたのだ。

三人は再び顔を見合わせ、麻里花をほったらかしにして何やらごちゃごちゃ話し始めた。

いや、もう少し考えて、さっきのあの子は、でもこれはやはり第一印象で、と、切れ切れに声が耳に入ってくるが全く頭の中で意味をなさない。早くってば。

「あの」

麻里花は泣きそうな顔で叫んだ。

三人がきょとんとした顔で思い出したように麻里花を見た。

「お手洗いに行ってもいいですか？」

32

怒りにかすれた声でそう呟《つぶや》き、佳代子はゆっくりと立ち上がった。が、その目は正博の隣にいる美しい女に吸い寄せられている。

美しい。自分よりも遥《はる》かに美しい。プロポーションがよくて、華やかで、どこでも自分が中心にいることを知っている女。まるであたしとはタイプが違う。

佳代子は頭がぐらぐらと揺れているような気がした。あまりの怒り、屈辱、衝撃。なんなの、この女は。ここにこんな女を連れてくるなんて、いったいこの男はどういうつもりなの。

「どういうことなの」

佳代子は口をぱくぱくさせたが、何の言葉も出てこなかった。

「今日は、正直に言おうと思って来たんだ」

正博は殊勝な顔で小さく呟き、苦悩するような目付きになった。

「やっぱり、僕は自分のことをよく分かっていなかったんだよ。子供の頃から頭のいい、上品な女性に憧《あこが》れていた。がさつで品のない自分の生活環境をいつも嫌だと思っていた。自分を泥水の中から救い出してくれる人をいつも求めていた。それが君だと思った。君は理想の女性だった。僕の夢をそのまま現実にしてくれたのかと思ったよ。僕は幸せだった。君は僕を幸せにしてくれた。啓蒙《けいもう》してくれた。僕の目を開かせてくれたんだ」

佳代子は正博の顔をサングラスの奥から初めて見る動物のように見つめている。

美江は正博の声を聞きながら形容しようのない苛立《いらだ》ちが込み上げてくるのを感じていた。いつもの台詞《せりふ》。いつもの言い訳だ。なんたる欺瞞《ぎまん》。なんと流麗で空っぽな、誠意のない台詞。どうしてこの男はこんなことができるのだろう。どうして自分の言葉の残酷さに思い至らないのだろう。

美江は無表情を装いながら、ショックを受けている佳代子を眺めていた。

彼女がどんなに苦しんだのかは明白だった。やつれて化粧の乗らない肌、思い詰めたような雰囲気が彼女の周りに鎧《よろい》のように漂っている。なんでこんな身体に合わない服を着ているのかは分からないが、その鮮やかな服やサングラスはみじめな様子を見せまいと必死な彼女の虚勢が感じられて胸が痛んだ。

正博のソフトな声は続いている。

「でも、しょせんそれは憧れでしかなかった。僕はいつしか自分がひどく無理をしていることに気付いたんだ。背伸びをして、自分を上品に見せよう、君にふさわしい人間に見せようとしていた。それは、僕自身にストレスになった――君も気付いていたよね？　君と僕との距離が広がり始めていたこと。僕が君にふさわしい人間でないこと、僕が君に釣り合わないことを君だって気が付いていただろ？　もう、偽ることはできない。僕は駄目だ。僕では駄目だ。君のことを幸せにはできない。彼女とは一月前に出会った。たちまちひきつけられたよ。僕にはやっぱりこういう女がお似合いなのさ。どうしようもない」

ようやるわ。美江は内心舌を巻いた。

正博は完璧《かんぺき》に苦悩と焦燥を滲《にじ》ませた声を出していた。ひょっとすると、今この瞬間は本当に自分の台詞を信じているのかもしれない。こういうところが、彼の商売人としての天賦の才能なのかもしれない。相手によって自在に自分の感情を操ってしまうところが。

ぼんやりとそんなことを考えていた彼女は、正博が自分を見ていることに気付いた。

「次はおまえの番だ」とその目が言っている。思い切り下品な女、色気と美貌《びぼう》だけが売りの蓮《はす》っぱな女を演じろと促しているのだ。

美江は一瞬棒立ちになった。

あたしだって、今まで何度も言ってきた。残酷な台詞、お遊びの台詞。

目の前でかすかに震えながら立っている佳代子は、今にも倒れてしまうのではないかと思うほど弱々しく小さかった。かろうじて残されたプライドだけが彼女をその場に立たせているのだ。

正博はじりじりした目で、何度も美江の顔を見る。

美江はその視線を無視して、暫《しばら》くじっと黙り込んでいた。

そして、ふっと小さく溜め息をつくと、ようやく口を開いた。

「ねえ、座って話をしない？　あたしコーヒーが飲みたいわ」

正博はホッとしたような表情になった。美江が佳代子を説得してくれると思ったのだろう。美江はちらっと正博を見ると、佳代子を挟むように腰掛けるよう促した。正博はぎょっとしたような顔になるが、渋々腰を下ろす。

佳代子も放心したようにストンとスツールに座った。

遠巻きにしていたウエイトレスにコーヒーを二つ頼むと、美江は佳代子に向かって右手をすっと差し出した。

「はじめまして、佳代子さん。落合と申します。正博のいとこよ」

佳代子がハッとしたように顔を上げ、正博が慌てたようにあんぐりと口を開けた。

33

「ねえねえ、これってなんだかすごい状況じゃない？」

「険悪ー。三角関係か？」

「あの三人の関係を推理するっていうのの方が面白そうだわ」

「いったいどうするんだろ。蒲谷さん、完全に無視されたまんま」

「これもまた引き分けかしらね。没収試合よ」

忠司と春奈は前にも増して声を低めて囁《ささや》きあった。

蒲谷は呆然《ぼうぜん》とカウンターの脇でダミーのアンケートを持ったまま立ち尽くしていた。

三人は全く蒲谷に構う気配を見せない。深刻な空気がどんよりと三人を覆い、映画スターのような容貌の二人に怪しい格好の女が挟まれる形になったため、ドラマの撮影のような虚構のムードが漂っている。美形の女が右手をサングラスの女に差し出し、何ごとか話しかけている。

ようやく蒲谷はハッと我に返り、すごすごと二人のところに引き返してきた。

「こりゃ駄目だ。すまん。面目ない」

蒲谷は恥ずかしそうに頭を掻《か》いた。

「いえ、いいんですよ。次の対戦は？」

「それはまた外に出てからだ。よし、行くか」

「ちょっと待って。もう少しあの三人の様子を見ててもいいですか？」

春奈はそそくさと立ち上がろうとする蒲谷を制して深刻そうな三人を見つめている。が、その目が一瞬宙を泳いだ。

「ん？　どうかしたか？」

「いや、別に気のせい」

春奈は手を振って打ち消したが、心の中で首をかしげていた。

なんだろ、今の。飛蚊症《ひぶんしょう》かしらん？　何か黒い影が視界の隅っこを横切ったような気がしたんだけど。

34

川添健太郎はゴクリと唾《つば》を飲み込んだ。

その顔は青ざめ、額には冷や汗が浮かんでいる。

仕方がない。やはり、ひったくるしかない。時間が経てば経つほど回収は難しくなるし、俺の姿が見られる時間も長くなる。まだ連れが来ないうちに取り返すしか。

そう自分に言い聞かせ、彼は決心を固めた。

相変わらず、あの老人はそわそわと辺りを歩き回っていた。しきりに腕時計を見る。周りには今日もたくさんの待ち合わせ客がいる。

健太郎はゆっくりと歩き出した。どこかに座って荷物を置いてくれれば、置引をするのに都合がいいのに。こんなにわさわさ周りに人がいたのでは、一息に逃げ出すのは難しい。

健太郎は老人を見て見ぬふりをして、待ち合わせをする人々に紛れこんだ。人待ち顔をして、きょろきょろと誰かを探している様子を装う。

老人のすぐ後ろに立つ。

老人の手に持っている『どらや』の紙袋をそっと見下ろす。

やはりあれが俺のだ。おまえのものを返してやろうと言うのだから、さっさとそれをこっちに寄越せ。

彼は頭の中で毒づいた。

でも待てよ、こいつはまだ自分が袋を間違えたと気付いていないのだから、やはり本当のことを言って取り替えればいいのではないか？　いや、間違えたと言えばこいつは必ず確認のためにこの紙袋の中を見るだろう。それはやはりまずい。見られるわけにはいかないのだ。いつか自分が見たものを事件に結びつけて考えるかもしれないし、それと同時に紙袋を交換した男の人相も一緒に思い出すかもしれない。

彼はじりじりしながら紙袋を見つめていた。

と、突然老人はそそくさと歩き始めた。慌てて跡を追う。老人はこの待ち合わせ広場を離れることにしたようだ。連れと会うのをあきらめたのか？　それとも？

老人は地上への階段を上がり始めた。

やはりどこかへ移動するのか？　健太郎は距離を置いてぴったりと跡を追う。

自分が跡をつけられていることに全く気付くことなく、俊策の頭の中は構内放送をして貰《もら》おう、という思い付きでいっぱいだった。デパートではよく迷子になった子供の親を呼び出す放送をしている。さっきからここでも、度々呼び出しの放送をしているのに気付いたのだ。自分もそうすればよいのだ、と思い付いて、俊策は目の前が明るくなったような気がした。彼は、とりあえずＪＲ職員がいる窓口に行くことにしたのである。そこに行けばどこで放送してくれるか分かるだろう。

俊策はちらっと時計を見た。

もうこんなに時間が経ってしまっている。彼らはまだ待っていてくれるだろうか。彼の心は済まない気持ちでいっぱいだった。

みどりの窓口の場所は覚えていた。階段を上がった一階の真ん中辺りだ。

階段にはあまり人気がない。ふと、俊策は誰かが近付いてくるような気配を背中に感じた。それはあっというまにすぐ後ろに迫り、誰かが彼の手からサッと紙袋をひったくった。

「あっ」

俊策は一瞬の出来事に動転した。

「ま、待って」

若い男がそのまま一気に階段を駆け上ってゆく。ふと、その後ろ姿に見覚えがあるような気がした。俊策は慌ててその背中を追いかけた。

男との間は開くばかりと見えたとき、男が横から出てきた誰かにぶつかり、はねとばされてよろよろするのが目に入った。ぶつかられたサラリーマンが目を丸くしている。俊策はそこで必死に追いつき、男の背中にむしゃぶりついた。中には上着と俳句仲間への土産が入っているのだ。うちで作った花豆。丹精込めて作った土産なのだ。それに、その紙袋がなくなれば妻への土産が買えなくなる。

「返してください、私の袋を」

「うるせえっ」

つかまえたつもりがどんと強い力で突き飛ばされ、俊策はなすすべもなくよろよろとその場にへたりこんだ。

「か、返して」

必死に腕を伸ばし、弱々しく男の背中に声を掛ける。

周りでみんなが驚いたように足を止めて二人を見ているが、男はすぐに駆け出した。

俊策は目の前が真っ暗になる。

ああ、どうしよう。俳句仲間への土産もなくし、妻への土産も買えない。そもそも、まだ俳句仲間にすら会えていないのだ。いったい何をしにここまでやってきたのだろう。やはり、自分のような人間がのこのことこんなところまでやってくるべきではなかった。都会の人間は、他人を食い物にすることしか考えていないのだ。そんなことはみんなの話からよく分かっていたはずではないか。舞い上がっていた自分が愚かだったのだ。

俊策はしょんぼりとうつむき、みじめな気分を嚙《か》みしめていた。

財布類を盗られなかっただけまだましだと思おう、と自分に言い聞かせて立ち上がろうとした瞬間である。

「待ちなさいっ！」

よく響く若い娘の声が、天井の高い東京駅の通路に響き渡り、俊策はハッとして顔を上げた。他の通行人も声の方向に視線を向ける。

見ると、逃げた男の前に、一人の若い娘が仁王立ちになっている。男はぎょっとしたように娘の手前で立ち止まった。

随分若い娘だ。会社の制服らしきものを着ている。何かのおつかいの途中らしく、菓子箱の入ったビニール袋をぶらさげ、手には書類のようなものを抱えている。顔を真っ赤にしているのは、かんかんに怒っているようだ。

まさか、あの男をあんなうら若い娘さんが止めようとしているのだろうか？

そう思い当たった俊策はゾッとした。

危ない。相手は狂犬のような若い男なのだ。あんな可愛い顔をした、孫みたいな歳の娘さんが立ち向かおうなんて無茶だ。

俊策は自分の荷物を盗まれたことも忘れ、慌ててよろよろと立ち上がった。

35

田上優子がその二人に気付いたのは、大急ぎで海外旅行のパンフレットを集めてみどりの窓口から出てきた時だった。

天井の高い、大きな通路である。この時間帯、まだそんなに通路は混んでいない。

だが、優子は通路に出た瞬間、異様な雰囲気に気が付いた。

みんなが足を止めて、何かを見ているのである。

ふと、通路の向こうで揉《も》み合う二人が見えた。

若い長髪の男と、小柄な老人だ。

どうやら、若い男が老人から何かを奪い取ったところらしく、老人は必死にその男にむしゃぶりついているのだが、あえなく突き飛ばされて地面にへたりこんだ。

男は黒い紙袋を抱えてこちらに駆けてくる。

立ち止まって見ていたサラリーマンが慌ててよけるのを見て優子はカッと頭に血が上った。

かよわい老人になんてことを！　恥を知れ！　傍観してた上によけたサラリーマンも許せない！

いつにないスピードで怒りの沸点に達したのは、その痩《や》せた老人の顔が、自分の祖父を連想させたからかもしれない。

優子はおじいちゃん子だった。彼女は小学校卒業まで長野に住んでいたのだが、その時祖父は近所に住んでいて、よく遊んで貰ったものだ。優子の名前を付けてくれたのも祖父だし、最初に柔道の手ほどきをしてくれたのも祖父だった。祖父は物腰の柔らかな、心の広いひとだった。優子は子供の頃から血気盛んで、おてんばだった。お寺の屋根に登っていて隣の家の屋根に落ち、天井を踏み抜いてしまった時も、探検隊と称して裏山に入り、ついてきた下級生が優子の足についてこれず川にはまったり取り残されたりして迷子になってしまった時も、祖父がいつも一緒に謝りに行ってくれた。優子としては、ただ元気いっぱい心の赴くまま駆け回っているだけなのだが、なぜか気が付くと周囲に被害が生じているのである。

祖父はいつも深くその痩せた身体を折り曲げて、子供のしたことですからどうか一つ私に免じて、この子は決して悪気があってやっているわけではないのです、よぉく言い聞かせておきますから、と優子の肩に手を当てたまま何度も頭を下げてくれた。優子はなぜ祖父が頭を下げているのか実はよく分かっていなかったのだが、祖父が頭を下げてくれているのが（しかも、どうやら自分のせいらしいのである）申し訳なくて、いつも一緒に頭を下げた。

祖父は消防士だった。村の災害の時には何度も身体を張って貢献したそうで、みんなに尊敬されていた。普段の温和な性格に比べ、いざという時の勇敢さは退職後も広く語られていた。その祖父が何度も言葉を尽くして頭を下げると、どんなに怒っていたひとでもみんな弱ったような顔になり、「まあまあ」と言って許してくれるのである。

謝りに行った時の帰り道は、祖父はいつも同じ話をした。

なあ優子、おじいちゃんがなぜ優子って名前を付けたか分かるかなあ？

優しい女の子になるようにでしょ？

優子は俯《うつむ》いて渋々答える。

優子は優しい女の子っていうのがどういう女の子か分かるかなあ？

らんぼうじゃない女の子だよね。

いつもそこで彼女は口ごもる。彼女は近所で『優子ちゃんは乱暴だ』と言われているのを知っていたのである。だが、本人はそのことを不本意に思っていた。

こんなに親切なあたしがどうしてらんぼうなんだろう？　こないだだって、近所のミノルくんと両親が出かけてる間遊んであげたし、腰抜かしてた松田のおばあちゃんを家まで連れていってあげたのに。

優子は首をひねる。だが、その親切とは、腕力のある優子が気の弱い少年ミノルに千本ノックをさせたり、ぎっくり腰になっていた老婆を、無理やりずるずる引きずって症状を悪化させたことを指すのであった。

らんぼうしない。それも大事だよ。だけどね、優しい女の子になるためには強くならなきゃならないんだ。

祖父が辛抱強くそう言うと、優子は勢い込んで答える。

優子、もっと強くなる。いつか黒帯貰《もら》うんだ。

違う違う、と祖父は苦笑しながら首を振る。

強いというのはねえ、いつもきちんと周りを見ていて、自分が何をしなければならないかちゃんと決められる人のことを言うんだよ。優子は、もう少し周りを見なくちゃな。自分より弱い者は優子が助けてあげなくちゃ。

うん。

優子は神妙に頷《うなず》く。

祖父はあまりねちねちと説教したりはしなかった。それは祖父の美点の一つではあったが、婉曲《えんきょく》で上品な説教だったために、思考の単純な優子の頭に祖父の戒めが浸透しなかったのも無理はなかった。その祖父も、優子が高校生の時に亡くなった。

以来、優子は祖父の教えを守り、強く優しい女になるべくまっすぐに歩んできた。おかげでちゃんと黒帯も取った。電車の痴漢には即刻関節わざを掛け、駅員に突き出している。そのうち、反省の色がなかった二人は骨折して鉄道病院の世話になったはずだ。うちの傷害保険に入っていてくれればよいのだが。本人は強さと優しさを両立できていると思っているのだが、周囲の人間から見ると些《いささ》か強さの方に偏っているのではないかと思われる。

ともあれ、優子は怒りも露《あらわ》に「待ちなさい！」と叫び、駆けてくる若い男の前に立ち塞《ふさ》がった。男はぎょっとしたような青い顔で優子を見る。

その時である。

「待て、そこの男！」

すぐ後ろからドスの利いた大声が聞こえ、今度は優子がぎょっとした。

振り向くと、こっちに向かってやたらと大柄でこわもての親父が駆けてくる。その親父の形相に、周囲の通行人がバラバラとよけた。

誰だろあの親父？　ヤーさんかしら？　こいつの知り合い？

優子は混乱して、後ろから駆けてくる親父と目の前の男の顔を交互に見る。

若い男はますます青ざめ、一瞬の躊躇《ちゅうちょ》ののち、今度はくるりと背を向けて反対方向に駆け出した。

「止まれ！　止まらないと撃つぞ！」

親父はサッと胸ポケットに手を入れた。

正面から歩いてきた五人の外国人ビジネスマンと、案内している日本人ビジネスマン一人が、それを見てばたばたと地面に伏せる。

「――あ、もう持ってないんだっけ」

小さな舌打ちが聞こえ、優子の隣で親父が立ち止まった。

なんだ、この親父？　あら、よく見るとけっこう年寄りだわ。

親父の横顔に気を取られたあとでふと前に目をやると、男の背中が遠ざかって行く。

「あっ、逃げちゃう。おじさん、ちょっと持ってて」

「え？　なんだこれ、おい」

激甘の菓子とグアム旅行のパンフレットを押しつけられた親父の面食らった声を聞きながら、優子はダッシュした。伏せていた顔を恐る恐る上げたビジネスマンの手を踏んだような気もするが、きっと気のせいだろう。

優子はみるみるうちに男との距離を詰めていった。彼女は腕っぷしが強いだけではなく足も速いのだった。逃げる泥棒に追いつける、強くて優しい女になるには足も速くなくてはならないのである。

「待てえっ！」

優子はついに男の腕を捕らえた。男の身体ががくんと止まり、反動で前のめりになったところを、優子はもう一方の手で男のシャツの襟を摑《つか》んだ。

よしっ、奥襟は取ったぞ！

すかさず男の身体の下に潜り込む。

重心移動も完璧《かんぺき》！

ひょろ長い男の身体がくるりと大きく宙に舞った。

次の瞬間、ずしんと鈍い地響きが八重洲口の構内に轟《とどろ》き渡る。

オオッという喚声が上がり、起き上がった外国人ビジネスマンたちが「ヤワラノミチ」と興奮して拍手をした。隣では日本人ビジネスマンが手を押さえて跳びはねている。

「大丈夫かっ」

両手をいっぱいにした男が駆けてくる。

被害にあった老人も早足でこちらに向かってくると、心配そうに優子に声を掛けた。

「怪我はありませんか、お嬢さん」

その上品で感じのいい声は、やはり祖父に似ていた。

「はいっ。おじいさんの荷物はどれですか？」

「ええと、私のは——あれ？」

大の字になって呻《うめ》いている若い男の近くには、二つの『どらや』の紙袋が投げ出されていた。老人はつかのまあっけに取られていたが、グレイの上着の飛び出している方に気付くとホッとしたように指さした。

「ああ、これですこれです」

優子はもう一つの『どらや』の紙袋に目が吸い寄せられた。彼女は『どらや』の栗羊羹《くりようかん》にも目がなかった。誰かの忘れ物かしら、もし栗羊羹だったら持って帰っちゃおうかな、という不埒《ふらち》な考えが一瞬脳裏に浮かんだことは否定しない。

が、袋を拾い上げて中を覗《のぞ》き込むと、どう見ても食べ物とは思えない、新聞紙に包まれ赤い麻紐《ひも》で結わえられた、汚らしい包みが入っているだけだったのでがっかりした。

「——あれっ？」

今度声を上げたのは、追いかけてきたこわもての男の方だった。

紙袋からはみ出した上着の内側に刺繍《ししゅう》された名字を覗き込んでいる。

「あんた、吾妻俊策さん？」

「はい？」

わあ、と男が嬉《うれ》しそうな声を上げたので優子は面食らった。それまでやたらと人相の悪かった大男だが、くしゃっと笑うといきなり子供のような顔になり、その小柄な老人に駆け寄った。

「おお、よかったよかった。捜してたんだよ、私、雫石です。雫石貫三です」

「ええっ」

老人は心底驚いた声を上げ、すぐにその顔は喜びに変わり、次に恐縮した。

「すみません、すっかり駅で迷ってしまって」

「いやあ、俺たちが悪いんだよ、あんたが東京初めてだってのに分かりにくい場所を指定しちまって。さ、行きましょ行きましょ、みんな待ってます」

和気藹々《あいあい》と話し始める二人を優子はきょとんと見ていたが、ふと後ろを振り返るとあの若い男がいつのまにか姿を消していることに気付いた。

「あっ、あいつ逃げちゃった」

優子がそう叫ぶと、たちまち大男はこわもてに戻って「なにっ」と走り出そうとする。

小柄な老人は大男にとりなすように言った。

「雫石さん、もう結構です、こうして荷物も戻って参りましたし、雫石さんにも会えましたから。あの男も、こんな華奢《きゃしゃ》なお嬢さんに投げられて懲りたでしょう。お嬢さん、本当にありがとうございました。でも、いくらお若くて強くてもあんな無茶はもうなさらないでくださいよ。今時の若い男は逆恨みというものを当たり前に思ってますからね」

老人はにっこりと温和な笑みを優子に向けた。罪を憎んで人を憎まず。その菩薩《ぼさつ》のような笑顔に優子はしんみりとする。

おじいちゃんも生きてたら同じことを言ったんだろうなあ。待てよ、ここで関東生命の社員ということをアピールすべきかしら。でも、二人ともこの年じゃあ保険料高過ぎて生命保険入れないしなあ。ここはサッと助けてサッといなくなるのがカッコイイよね。

「じゃあ、私これで失礼します。**関東生命**に勤めてるもので、**関東生命**八重洲支社に帰ります」

優子はさりげなく強調すると、営業用のスマイルを浮かべ、三人は美しくお辞儀をして別れた。

36

ダリオはパニックに陥っていた。

身体を動かしたい、広いところに出たいとは思っていたが、あまりにも何もないだだっぴろい場所は彼の好みではなかった。しかも、ここは明るすぎる。凹凸のないこの場所では、身を隠すところがまるでない。かといって、出てきた部屋がどこなのかはもう分からなくなっていたし、分かったとしても廊下のドアは皆閉じられていた。主人は行方不明だし、どうすればよいのだ。ぐれてやる。

だが、それでもダリオは必死で暗がりを求めて歩いていた。

昼間のホテルはあまり人気がなく、彼に気付く者はいない。

ダリオは目の前に見えてきた黒いカウンターに引き寄せられた。

するするとカウンターの下の壁を這《は》い、一息つく。

カウンターの上では何やら深刻そうな話がぼそぼそと繰り広げられていたが、ダリオにとってはどうでもよかった。

広いところを緊張しながら歩いてきたので、彼はどこかにもぐりこみたかった。本来、彼の棲処《すみか》は身を隠すところの多い岩場や湿った森の中なのだ。彼は、長い移動とこのパニックでストレスを感じていた。

ふと、彼の目に黒と金色に輝く紙袋が入った。

ダリオの目の前には、わなわなと震えている若い女の足がある。その女の足元に、その狭い口を開けた紙袋が置かれていた。

その紙袋は、なんとも言えず心地好さそうに見えた。

ほら、黒くて狭くて、居心地好さそうだろう？　ちょっともぐりこんでみないか？

その袋はそうダリオを誘っているように思えた。

そして、ダリオはその誘いに乗ったのである。

37

雫石貫三は、地下通路を歩きながら心の中にもやもやしたものがあるのを感じていた。

なんだろう、この胸騒ぎ。この、喉元《のど》に何かが引っ掛かっているような嫌な感じは。

それは久しく忘れていた、懐かしい感覚でもあった。

何か重要なことを思い出しかけている感じ。長年の職務で鋭敏になった、彼の犯罪に対する触覚が何かを訴えかけているのだ。

「おお、カンさん」

「見つかったかい」

通路の向こうから仲間が歩いてくるのが目に入った。

俊策は済まなそうに頭を下げながら、やってくる仲間と挨拶《あいさつ》を交わす。

やあやあやあ、どうもどうも、いえいえそんなと、和やかなムードが漂う。

「おい、カンさん。なんだいその大荷物は。吾妻さんの荷物かい？」

そう言われて貫三は、初めて自分が大きな菓子の包みと水着の娘がにっこり笑っているグアムのパンフレットをしっかりと抱えていることに気付いた。

「しまった」

あの娘に預けられたまま、持ってきてしまったのである。

慌てた頭の片隅で、何かがパッとひらめいたような気がした。

「ああ、それはひょっとしてさっきのお嬢さんのですね」

俊策が貫三の荷物を見ておろおろする。

貫三はいきなり眼光鋭く俊策を睨《にら》みつけた。

「吾妻さん、さっきあんたがあの若い男にひったくられたのは、その『どらや』の紙袋かい？」

「は？　はい、これです」

「でも、あの若い男が伸びてた時、『どらや』の袋は二つあったよな？　あれはどういうことなんだ？」

　俊策は首をかしげる。

「いえ、それは私にもさっぱり。でも、私の荷物には何も盗られたものはありませんでした し。あの若い男が持ってたんですかねえ」

　貫三の胸にじわじわと疑惑が膨らんでくる。貫三の顔を見てぎょっとした若い男。凍り付いたような顔のアップ。あの顔、どこかで見覚えが。暴力団がらみじゃない。

「あそこに落ちてたもう一つの紙袋、どうした？」

「さあ。あのお嬢さんが拾い上げたのは見ましたが。中を見てましたね」

「中を？　何が入ってたかあんたも見たか？」

「はあ、ちらっとしか見えませんでしたが。新聞紙の包みのようなものに赤い紐《ひも》が結わえてあったように見えましたけど」

　意外としっかりとものを見ているな。

　貫三は感心しつつもじっと考えた。男が元から持っていた『どらや』の袋。にもかかわらず、男は俊策の袋も奪おうとしたということになる。

　すりかえか？

　その瞬間、男の顔のアップと、手配写真が重なった。更に、解体された新聞紙の包みとほどかれた赤い紐が脳裏に浮かぶ。

貫三は目を見開き、顔を紅潮させて叫んだ。

「思い出したっ！　過激派『まだらの紐』の連中だ！　公安の指名手配だ！　あいつは、爆弾屋の川添健太郎だっ！」

38

ああ、俺は今、風になる。風と一体になって世界を一匹の獣のように駆けていくのだ。

ケンジは恍惚《こうこつ》となった。

雨雲の塊を抜けたのか、ほとんど身体に当たる雨を感じなくなった。

彼はじりじりと速度を上げていく。

左右の風景が、どんどん流線形になっていく。淡い色の線をひっかいただけの、抽象画と化していくのだ。

久々のマシンとの一体感。ぎりぎりの時間との競争。生と死の境界線を、全身に粟立《あわだ》つ恐怖を見つめながら辿《たど》っていくスリル。スピードを上げると、空気の圧力は壁になる。ぶちあたる壁との戦いは、全身の筋肉をフルに使わなければならない。

それよりも更に速くなると、空気は粘度を増し、ねっとりと身体にまとわりつくようになる。空気が意思を持った生き物となり、スローモーションでマシンに絡みついてくるような感じになるのだ。

よし、今日は行けそうだぞ。記録だ。暫《しばら》く忘れていたこの感触。やっぱり俺は速いのが好きだ。誰よりも速く走るのが好きだ。今日はどこまでも走り、風になるのだ。

39

ああ、俺は今、風になる。風に脳味噌《のうみそ》も身体も吹き飛ばされ、今また土に還《かえ》っていくのだ。

義人はケンジの後ろで思考停止していた。

雨と汗と涙と涎《よだれ》がいりまじり、彼の顔を濡《ぬ》らし続けている。目はもう焦点が合っておらず、口はだらしなく開いたままである。彼は既に自分が生きているのか死んでいるのかも分からぬ、忘我の境地に達していたのであった。

40

国道沿いの雨のそぼ降る署の前で、益子《ますこ》洋治《ようじ》は欠伸《あくび》をしていた。

玄関のガラスに貼られたピーポくんのシールに髭《ひげ》が描き加えてあるのをぼんやりと眺め

る。

まだ交替の時間までは一時間もあった。

「ダメ、ゼッタイ」と玄関に貼られたポスターの中から覚醒剤撲滅《かくせいぼくめつ》を訴えるアイドルの目がこちらを見ているが、その下の唇には涎が描き加えてあった。退屈した誰かの仕業に違いない。洋治はそのアイドルの鼻に鼻毛でも描き加えようかと思ったが、あまりにもくだらないのでやめた。

ちぇっ、このクソ蒸し暑い、ひどい天気の時に当番が当たるとは、ついてない。

洋治は首筋の汗を拭《ぬぐ》い、持っていた警棒で素振りをした。

今夜はバッティングセンターにでも行くかな。明日はパラパラの稽古《けいこ》だし。メグミの奴、「あんたのは阿波《あわ》踊りよ」なんて言いやがって。くそ、練習してやる。

「洋治、さぼんなよ」

「見たぞ見たぞ、素振りしてたな」

後ろからどやどやと見回りに出かける同僚たちが現れ、洋治は慌てて背筋を伸ばした。

「さっきよりは小降りになったな」

「成田線はまだ止まってるらしい」

「帰宅時間までに回復するかな」

「消防が河川の見回りに出たそうだ」

雨の様子を窺《うかが》うと、青いシャツが雨に濡れるのに肩をすくめながら、ぞろぞろと帽子をかぶって外に出ていく。

と、突然、異様な轟音《ごうおん》が近付いてくるのに気付き、みんなが一斉に足を止めた。

それはもう、戦闘機と戦車が手に手を取って走ってくるような凄《すさ》まじい轟音である。

「なんだ？」

警官たちは構えた。

次の瞬間、恐ろしく重量のある黒い物体が、署の前の道路を通過していった。

それはまさに一瞬の出来事だった。物体の撥《は》ね上げる水飛沫《しぶき》が、たちまち霧の壁となって門の前にスクリーン状に散る。

警官たちは目の前の出来事に呆然《ぼうぜん》となるが、ハッと気を取り直すと叫んだ。

「畜生、どこのどいつだ？　今の、いったい何キロ出てた？」

「馬鹿にしやがって。わざわざうちの前を通っていくとは」

警官たちが色めき立つ。

と、続いて二台の白いバイクが、その前の黒い物体に劣らぬ速さでびゅんびゅんと続けて通り過ぎていった。明らかに車体に改造がなされており、しかも法定速度を遥《はる》かに上回った速度である。

「くそっ、また『ぴざーや』習志野店だ！　ふざけやがって」

一番年嵩《としかさ》の警官、東山勝彦《ひがしやまかつひこ》が地団太《じだんだ》を踏んだ。『ぴざーや』習志野店店長・市橋健児《いちはしけんじ》とは、彼の関東連合時代からの、長い因縁のつきあいである。

勝彦はパトカーの中の無線のスイッチを乱暴に入れるとマイクに叫んだ。

「全車に告ぐ、全車に告ぐ、たった今署の前を『ぴざーや』習志野店の店長及び従業員二名が通過し、浦安《うらやす》方面に向かった模様。今日こそは、我らが宿敵、市民の安眠の敵、経済燃費の敵、市橋健児をスピード違反で現行犯逮捕せよ」

雨の中、警官たちはバタバタと扉を開け、殺気だった形相でパトカーに乗り込んでいった。

サイレンを鳴らして次々と出ていくパトカーを、洋治はあっけに取られて見送る。

41

「それでは、最終候補になったお二人を発表します」

控え室の中は異様な緊張感に包まれていた。

ビジネスライクな顔つきの若い女性が、手に小さな紙を持っている。

みんなが青ざめ、息を詰めてその紙を見つめている。

いつもこの瞬間、部屋の温度が一、二度すうっと下がるような気がする。

麻里花はげっそりした表情で椅子に座っていた。ようやくおなかの痛みは治まったが、ジュースを搾り切ったあとのオレンジみたいに、全身の水分がなくなったような気がした。隣では明子が真剣な表情で座っている。麻里花が一人で苦しんでいたさっきは、ずっと熟睡してたくせに。麻里花はかすかな非難を込めて母の横顔をちらっと見た。

若い女性はさすがにみんなの注目にプレッシャーを感じたのか、咳払《せきばら》いをして紙を開いた。小さく深呼吸をして彼女はそれを読む。

「十四番、高橋美奈子《たかはしみなこ》さん」

ワッという声にならないどよめきが漏れる。顔を紅潮させた親子が手を取り合って喜んでいるのが目に入り、やはり、ああ、いいな、羨《うらや》ましいな、という思いがチクッと麻里花の胸を刺した。いつものお決まりの感情。

若い女性はどよめきが収まるのを待って、もう一人の名前を読んだ。

「二十七番、鮎川麻里花さん」

えっ、という驚きが先だった。

鮎川麻里花さん。それが自分の名前だと気付くのに少しかかった。

それは明子も同じだったらしく、二人できょとんとしていた。

が、みんなが一斉に自分たちを見たので確かに自分の名前が呼ばれたのだと分かった。

同時に二人は顔を見合わせた。これまで見たことのない、明るい驚きがそこにある。

「ママ」

「やった、麻里花」

二人は抱き合った。が、動いた瞬間おなかが痛んだので麻里花は顔をしかめた。

「それでは、本日はお疲れ様でした。今名前を呼ばれたお二人は残ってください」

ガタガタと椅子を鳴らし、オーディションに落ちた親子が帰り支度を始める。いつもそのざわめきの中にいた自分たち親子が、まだここに残っていられるのだ。どんよりとした疲労と共に聞いていたその音が、今日は心地好い音楽のように聞こえるから不思議だ。

麻里花と明子はまだ信じられないという表情でぼうっとしていた。

「鮎川麻里花さん、こちらにどうぞ。保護者の方もご一緒に」

麻里花は番号があとの自分が先に呼ばれたので不思議に思ったが、そわそわしている明子と一緒に控え室を出た。

さっきの三人が座っている部屋に入る。

審査を終えてホッとしたのか、笑顔の浮かんだ三人の男が目の前に座っていた。

白髪のおかっぱの男が麻里花の顔を見て、ちらっと笑う。

「おかけください。あ、お母様もそちらに」

麻里花は恐る恐る椅子に座った。後ろで明子が座るのが分かる。

「サリー役はあなたに決まりました。もう一人の方は、補欠です。明日からすぐ稽古に入ってもらいますが、台詞《せりふ》はもう入ってるみたいだし、大丈夫ですね」

　おかっぱの男が柔和な、しかし厳しい目で麻里花を見たので、麻里花は思わず背筋を伸ばした。

　仕事だ。これからあたしは、オーディションじゃなくてお仕事をするのだ。

「はい」

　麻里花は男の目を見てしっかりと答えた。男はにこっと笑った。

　麻里花は心が晴れ晴れとして、目の前が急に広くなったような気がした。

　ああ、あたしは内側に入れたんだ。選ばれた子供になれたんだ。

　演出家の後ろに、関東劇場の広い客席が見えたような気がした。

　本当なんだ。あの舞台に立てるんだ。

　じわじわと喜びが込み上げてくる。それまでの鬱屈《うつくつ》が全て過去のものになった。ずうっと背中の後ろの方の、どうでもいい場所にその記憶は押し込まれてしまった。

　一回り視界が大きくなったような感じだ。そして、麻里花は新たな緊張を覚えていた。

　人前に立つ。お客さんの前に立って、あたしは仕事をするんだ。

　それは今までとは別の種類の緊張だった。新しい緊張。新しい恐れ。でも、それは不愉快なものではなかった。むくむくと自分でも気付かなかった闘志が湧いてくるような、心地好い緊張だったのだ。

「契約書は所属されている劇団と交わすことになりますので、明日以降劇団に書類を送ります。それでは、スケジュールの確認をお願いしますね。まず、明日は衣装合わせをしてもらって、そのあとスタッフの紹介、それから――」

麻里花は心の中に湧いてくる喜びをじっと静かに噛《か》みしめながら、てきぱきとした口調の若い女性の言葉を聞いていた。

42

夢心地で控え室に戻り、顔を上気させた明子が「お祝いしましょう。パパも呼ぼう」と携帯電話を掛けているのを聞きながら、麻里花はもう一度トイレに行くことにした。もう出すものは何もないのだけれど、もはや下腹部の感覚がよく分からず、行きたいのか行きたくないのかがよく分からないのである。

が、トイレに近付くと、誰かの泣き声とそれをなだめる女の声が聞こえてきた。

「ねえ、玲菜、だいじょうぶよ、今日はちょっと出来が悪かっただけよ」

玲菜ちゃんのママだ、と麻里花は思わずその声を聞いて足を止めた。その声はいつものような自信たっぷりのものではなく、おろおろとした気弱なものである。

「違う、違うの。ママはあたしがなんで泣いてるか分からないの?」

泣き声混じりの玲菜の声が聞こえてくる。いつものおっとりした様子からは想像もつかない激しい声だ。

「あたしが知らなかったと思ってるの？　ママに任せなさいっていつも――いつも、みんなに何か飲ませてたんでしょ？　おなかが痛くなる薬」

「玲菜、何を言うのよ。ママがそんなことするわけないじゃない」

「じゃあ、ママ、あのカルピスの残りをあたしに頂戴《ちょうだい》。あたし、疲れてとっても喉《のど》が渇いちゃった。あのカルピスが飲みたい！　飲みたいよ、ママ」

「もうなくなっちゃったわ」

「嘘。ママのバッグの中にあるのをさっき持ち上げてみたけど、まだたくさん入ってた」

「あのね、玲菜、ママはあなたのためを思って」

「なんで。ママ、なんで？　あたしはママにそんなことまでしてもらわなきゃ役を取ることができないほどひどい子なの？」

「玲菜、あなたは才能があるのよ、みんな褒めてくれるじゃない。ママは玲菜の手助けをしようと思って」

　玲菜はますます興奮するので、玲菜のママは必死になだめている。

「手助けなの？　今日、ママは麻里花ちゃんにカルピス飲ませたでしょう？　麻里花ちゃん、何度もトイレに行ってとってもつらそうだった。麻里花ちゃんにまで。あたし、麻里花ちゃんとは友達になりたかったのに」

玲菜はわあっと泣き出した。すすり泣きながら、切れ切れに叫ぶ。

「でも、サリー役は麻里花ちゃんだよ。ママが手助けしたってそうなんだよ。あたし、最近、どこのオーディションに行ってもみんなに苛《いじ》められる。みんな、あたしに冷たいの。玲菜ちゃんはママのお陰で役を取れるんだねって、ママがずるいことしてるから勝てるんだよねって言われたこともある。あたしたちの席の近くにみんなが座らないこと、ママ、気付いてないの？ ママが水筒取り出すと、みんなが目配せするんだよ。あたし、恥ずかしくてたまらない。ねえ、もうやめようよ、ママ」

玲菜は絞り出すような声で泣き続けた。

麻里花は外で聞いていて喉の奥が痛くなった。

玲菜は玲菜で苦しんでいたのだ。いつも選ばれる子供。抜きんでて可愛い子供。それまでの喜びが小さくしぼんでいくのを感じた。ここはそういう世界なのだ。自分はその中に足を踏み入れていこうとしているのだ。

麻里花はそうっとその場所を離れ、控え室に戻った。

明子は上機嫌で、麻里花が戻ったことにも気付かぬ様子で、携帯電話に大声で喋《しゃべ》り続けていた。パパに連絡がついたのかどうかは分からないが、友達に麻里花がオーディションに受かったことを自慢しまくっているらしい。麻里花はその無邪気な明子を見て、ママもあたしも、こういう世界で生きていくにはちょっとお人好しすぎるのかもしれないな、と思った。

43

「正博はね、常習犯なの。あなたみたいに、きちんとして真面目な、いいところの女の子が好きなのね。あなたのような目に遭った人を何人も見てきたわ。あたし？　あたしはね、後片付けの係。あたし、あなたが相手に飽きると、あたしが呼び出されて正博はさっきの台詞を喋るってわけ。僕は自分にふさわしい相手を見つけた。君は僕にとってもったいなさすぎるってね」

美江はコーヒーを飲みながら淡々と呟《つぶや》いた。正博が身の置きどころのないようにもぞもぞするのが分かる。

「じっとしてなさい、正博。今更じたばたするんじゃないわよ。きちんと彼女に謝りなさい」

美江がぴしりと言うと、正博は恨めしそうに美江を見る。

「あなた、苦しんだでしょう？　こんな男のために、苦しんだのね。よしなさい、あなたならまともな男が五万と見つかるわ」

美江はなんだか膝《ひざ》の辺りがもそもそしたような気がしたが、話を続けた。

佳代子はじっとカウンターの上を見つめたまま口を一文字に結んで何も言わない。

だが、その全身がわなわなと細かく震えているのを、美江も正博も感じとっていた。

「――分かったわ」

佳代子の口から低く声が漏れた。

「分かってくれた？」

美江がホッとしたように呟くと、佳代子はキッと正博を睨《にら》んだ。

「正博さん、これはどういうことなの？　このややこしい芝居はなに？　いとこだなんて嘘ついて――嘘ついて――どこまであたしを馬鹿にすれば気が済むのよッ」

正博も美江もぎょっとして佳代子を見る。

佳代子は怒りで青ざめた顔で美江を振り返る。

「あなたもたいしたものね。そんな嘘をあたしが信じるとでも思って？　正博さんがだらしない男だと見せかけてあたしに幻滅させようとしてるんでしょっ。お生憎《あいにく》さま、そんな手にはひっかからないわ。何よっ、その格好。正博さんはそんな格好、好きじゃないわ。わざとそんな格好してきたんでしょ、わざとっ」

美江は佳代子の思い込みにも感心したが、自分が普段こういう格好をしていないことを見抜いた佳代子の観察眼にも感心した。なるほど、確かにこの子は馬鹿じゃないわ。

正博は天を仰いだ。彼の作戦は失敗したのだろうか、成功したのだろうか？

「それに何よ、嫌らしい。さっきからあたしの膝を撫《な》で回してさ。あなた、どういうつもりなの？」

佳代子は軽蔑《けいべつ》したように美江を見て叫んだ。美江はきょとんとした。

「膝？　撫で回す？　あたしが？」

「そうよ、痴漢じゃあるまいしさっきからモゾモゾと、嫌らしい。正博さん、騙《だま》されちゃダメよ、この人、ちょっとおかしいわ」

美江は佳代子の強硬な言い方にカチンときた。

「何よ、あなたこそ被害妄想が強いんじゃないの？　やあね、なんで女のあたしがあなたに触んなきゃならないのよ」

「まあ、さんざんひとの膝を撫で回しておいて」

「ふん、そんながりがりの身体、触ったって骨ばっかでつまんないわ。暫《しばら》く正博が触ってくれてないからって、あたしに当たることはないでしょ」

言ってから美江はしまった、と思った。

佳代子はみるみるうちに顔を赤く染める。

「悔しいっ。悔しいわ、正博さん、こんな女にここまで言わせておいていいの？」

正博は食ってかかる佳代子をなだめながら混乱した表情で美江を見た。

美江も、「ゴメン」という目で苦笑いして見せる。

佳代子は正博と美江がアイコンタクトを取り合っているのに気付くと、二人の顔を交互に眺め、再びわなわなと震え出した。赤かった顔が今度は青ざめていく。

赤くなったり青くなったり、忙しい子だこと。でも、今のはヤバかったなー。

美江はさっきの自分の台詞《せりふ》を反省しつつ彼女をどう説得すればいいのか一生懸命考えていたが、今更彼女の誤解をどう解けばいいのやら分からなくなっていた。

「何よ──何よ、馬鹿にしてっ」

佳代子はカウンターをどんと叩《たた》いた。

「いつもそうなのよ。あんたは真面目すぎる。あんたは堅すぎる。もうちょっと洒落《しゃれ》っけがないとって男はみんなそう言うのよ。最初は真面目なところがいいって言ってたくせに、暫くすると退屈だって言うのよ。仕方がないじゃないの。これがあたしの性格なんだもの。真面目に生活することが一番性に合ってるんだもの。派手な格好も盛り場も好きじゃないわ。それがどうしていけないことなのよッ？　アレルギーがあるから外食も嫌いだし、カラオケなんか大嫌い。なんで最近の歌手はみんな名前の読み方も分からない変な外国語なのよ。コンビニのおにぎりの添加物なんて許せないわッ。人の口に入るものをなんだと思ってんのよ。あたしはキャラクター商品も嫌いなのよ。なんであたしが女だと、銀行はみんなキャラクターモノの通帳を勧めるわけ？　どうしていい年した女があんな幼稚な通帳持ってなきゃならないの？　あたしの上司なんか、上司なんか、五十三歳のくせに、携帯電話のストラップにピカチュー付けてるのよっ。許せないっ。なんで真面目なことがこんなに馬鹿にされなきゃならないのよ」

佳代子の言葉はどんどん支離滅裂になっていくようだったが、その心境は分からないでもなかった。美江が、見た目が派手で軽薄な女に見られるのと同じように、佳代子は佳代子で自分のキャラクターに居心地の悪さを感じているのだろう。

美江は、なんとなく自分と佳代子に共通点があるような気がした。

「――んでやる」

急に黙り込んだ佳代子が、何か低く呟いたので、美江は思わず聞き返した。

「え？」

「死んでやる。恨んでやる」

その言葉は、今度ははっきりと正博の耳にも入った。

44

「吾妻さん、さっきの娘は関東生命の社員だと言ってたよな？」

「ええ、確か、関東生命八重洲支社だと。やたらと強調するんでどうしたんだろうと思ってたんですが。じゃあ、あのお嬢さんが、今爆弾を持っていると？」

俊策は青くなった。

「たぶん、そうだ。トヨさん、関東生命八重洲支社の電話番号を調べて、腕っぷしの強い、若い娘がいないかどうか聞いてくれ。大の大人を一本背負いで倒せる女の子なんて世の中そうそういないからな。トリちゃん、鉄道警察に連絡を。まだ川添は近くにいるはずだ。あれだけしつこく自分の作品を取り戻そうとしてた」

「田上さんです」

俊策がはっきりと言った。

他の四人が動きを止めて俊策を見る。

「田上さんというお名前でした。胸に名札が付いてましたから」

貫三はニヤリと笑った。ほんとにこの人は、見掛けによらずしっかりしてる。

「よし、関東生命八重洲支社の田上さんだ。彼女を捜せ。あと、爆発物処理班を大至急東京駅へ」

みんなが慌ただしく動き始めるのを見て、俊策はあっけに取られていた。

句会はどうなるんだろう？　この人たちはとても俳句を詠むようには見えないけれど、単なる偏見だろうか？　まるで、この人たちは――

俊策は鋭い目付きで電話を掛けている目の前の男たちを眺めた。

まるで、警察の人みたいだ。

45

さて、四人の警視庁OBと俊策が自分のことを捜しているとは露知らず、田上優子は緊急事態に直面していた。

八重洲口から外に出たところで、自分があの親父にお菓子とパンフレットを預けたままであることに気付いたのである。

時間はもう会社を出てから一時間近く経過していた。

まずい。これはまずい。

優子は頭の中が真っ白になった。引き返してみたが、もうさっきの二人の姿はどこにも見えない。電車に乗ったのかもしれないし、あの様子ではどこかに出かけていってしまったのだろう。

まずい。これはまずい。こんなに会社を留守にした上、お菓子を手放してしまった。

そう気付いたとたん、腹の底から悔しさが込み上げてきた。

悔しいっ！　せっかく久しぶりに買えたお菓子なのにっ！

が、かといって手ぶらで帰るわけにはいかない。北条さんに預かったお金もある。仕方がない、自腹を切るしかない。

　給料日前の二十代のOLに三千円の出費は大きかったが、自分のせいだからしょうがない。優子は泣く泣く大丸の地下に逆戻りをした。

　だが、件《くだん》の店のところに来た優子はぎょっとした。

　もう、行列ができている。それも、さっきどころではない。夕方が近付いて、みんなが並び始めているのだ。これに並んだのではどんなに時間が掛かるか分からない。店頭に並んでいる数からして、手に入れられるかどうかも微妙だ。

　オーマイガッ！

　優子は己の不運を嘆いた。

　ふと、自分が手に持っている『どらや』の紙袋に気付く。

　畜生、こんなもの持ってるから手ぶらなことに駅を出るまで気が付かなかったんだ。これが本物の栗羊羹《くりようかん》だったら良かったのに！　こんな汚いゴミ、捨ててやる！

　優子は腹立ち紛れにその紙袋を投げ捨てようかと思ったが、綺麗《きれい》に通路を掃除されたデパートの地下に捨てる場所などありそうにない。

　もう。駅のどこかに捨てよう。

　優子は溜《た》め息をつき、紙袋をぶらさげたまま、なるべく安くて見栄えのいい菓子を探してぶらぶらと歩き始めた。だが、歩けば歩くほどさっき買ったお菓子に未練が湧く。

ああ、せっかく買えたのに！　あんなにおいしそうだったのに！

あのむちゃくちゃ甘いクリームの載ったのをゆっくりと頬張るところを想像すると、涎《よだれ》が出そうだった。全力疾走してあの馬鹿を投げた分だけ疲労も感じている。そこであのお菓子を食べたらどんなに満足したことか！

一度は手に入ったものだけに、それを手放してしまったことが激しく悔やまれた。

吾妻俊策。

ふと、あの上品な老人の顔が浮かんだ。優子はお客の名前を覚えるのが得意だったので、さっきあの大男が言った名前を覚えていた。

待てよ、さっき、あの人たちなんて言ってたっけ？

すっかり駅で迷ってしまって。みんな待ってます。あんたが東京初めてなのに、分かりにくい場所を指定しちまって。

優子は冷静に考えた。

あの人たち、きっと、東京駅の他の場所で待ち合わせしてたんだ。誰か連れが別の場所にいるんだ。

時計を見ると、まだ彼らと別れてから十分とは経っていない。

もしかすると、まだ駅の構内にいるのかもしれない。

優子の心に希望が湧いてきた。ほっかりと目の前にあのお菓子が浮かぶ。

呼び出してもらおう！

その考えがひらめいて、優子は再び元気よく駅に向かって駆け出した。

吾妻俊策！　そうそうある名前じゃないわ！　そうよ、きっと相手の方でも、あたしの荷物を持ってきてしまったと今ごろ気付いているはずだ。一応あたしは恩人だし、返そうとうろうろしてるかもしれないじゃないの？

優子はそう考えると目の前が明るくなってきたような気がして、『どらや』の紙袋をぶらさげていることも忘れて足を速めた。

46

どうやらダリオが部屋を出て行ってしまったことは確実なようだ。

フィリップ・クレイヴンはビデオテープの山をひっかき回して部屋じゅう捜したあげく、そういう結論に達した。

これはまずいことになった。ホテルにバレたら。クミコにバレたら。

フィリップは部屋の中をうろうろした。

だが、何より心配なのはダリオである。見た目によらず、彼はかなり繊細なのだ。

当初、ダリオは三人兄弟だった。アルフレッドとジョンという兄弟がいた。もちろん、どの名前も彼が敬愛する映画監督から貰《もら》ったものである。彼らが幼い頃は、三人揃ってロケやキャンペーンに出かけていたものだ。ある時イギリスにロケに行き、バッグに入れて持ち運んでいたところ、車のクラクションに驚いてアルフレッドが飛び出してしまった。そして、道の真ん中で立ちすくんでしまい、タクシーに撥《は》ねられ死んでしまったのだ。「アルフレッドの災難」！　そう呟《つぶや》いてみてもあまり笑えないジョークだったばかりか、フィリップはアルフレッドの死をとても悲しんだ。それ以降の旅は用心深くなり、ジョンはあまり遠出をしたがらないので、今回はダリオ一人のお供となったのである。

フィリップはダリオの捜索に出かけることにした。

ホテルの廊下は人気がない。彼が近くにいてくれればいいのだが。

注意深くダリオを捜しながら、フィリップはホテルの廊下を歩いていった。客室の廊下は見通しがきくので、いないのは一目瞭然《りょうぜん》だ。階段を降りていくとそこはロビーで、ホテルの従業員がいるし人の出入りが激しいので、ダリオが目に入れば今ごろ大騒ぎになっているはずだ。ダリオは階段を降りていない。

フィリップは反対側の、丸の内の改札が吹き抜けになっているところに足を向けた。そこにはカウンターのバーと小さなレストランがある。

カウンターには数人の客がいて、何やらぼそぼそと話をしている。

「フィリップ！」

後ろから呼び止められ、彼はギクリとする。

振り返ると廊下の奥にクミコが立っていて、手に持ったコピーの束を振っている。

「ごめんなさい、明日の対談の資料を渡すのを忘れていたわ」

「ああ、そうか」

フィリップはクミコに向かって歩き始めた。明日の昼、日本の若手の映画監督と有力情報誌で対談することになっているのである。彼はダリオのことを相談すべきかどうか迷った。が、突然後ろで「あっ」という悲鳴が上がったので、彼もクミコもそちらに注意が引きつけられた。

47

それは一瞬の出来事だった。

佳代子はサッとポケットに手を突っ込んだかと思うと、カプセルのようなものを取り出して自分の口に放り込んだのである。佳代子は目を閉じて顔を歪《ゆが》め、無理やりそのカプセルをごくんと飲み込んだ。

「あっ」

「何をするっ」

正博と美江は慌てて立ち上がった。その前に放った佳代子の台詞《せりふ》からいって、彼女が飲み込んだものが物騒なものであることは間違いない。

「吐けっ。吐きだせっ」

正博はバンバンと佳代子の背中を叩《たた》いた。佳代子の顔からサングラスが落ち、目を白黒させている様子が露《あらわ》になる。

「吐いてっ」

美江も佳代子の口に指を突っ込もうとしたが、佳代子はその指に噛《か》みついた。

「痛いっ」

悲鳴を上げる美江。佳代子を抱えて背中を叩き続ける正博。強情に喉《のど》を押さえている佳代子。傍目《はため》には滑稽《こっけい》とも見える光景であるが、もちろん本人たちは必死である。

「おい、手伝ってくれ。薬を飲み込んだんだ」

正博は周りを見回し、よく通る声で助けを求めた。遠巻きにしていた従業員と、近くにぽかんと立って見ていた学生たちが慌てて飛んでくる。みんなで佳代子の細い身体をかつぎあげ、逆さにするが、佳代子は相変わらずかたくなに口を閉じたままだ。

「馬鹿っ、あんた馬鹿よっ。こんな男のために死んだって一文の得にもなりゃしないわよっ」

美江が佳代子に噛まれた指を押さえながら腹立ち紛れに叫ぶ。

「こんな男ってことはないだろ」

カチンと来たような表情で正博が顔を上げる。美江は正面から正博を睨《にら》みつけた。

「そもそもあんたが悪いのよ、なんであたしがこんなことに巻き込まれなきゃならないのさっ」

「なんだよ、おまえだって楽しんでやってたくせにっ」

「こういうタイプはやめとけって前から言ってたじゃないの」

「しょうがないだろ俺の趣味なんだから」

罵声《ばせい》が飛び交うなか、みんなが佳代子の口に手を突っ込もうとするが、佳代子は目を回しながらも強情だ。

「口開けろっ」

「くすぐってみるってのはどう？」

「えい、これでどうだ」

帽子をかぶった女の子がパッと手を伸ばして佳代子の鼻をつまんだ。佳代子はムッとした表情になり、みるみるうちに真っ赤になった。さすがに苦しいのか、たまらず口を開ける。

「今だっ」

「ぎゃー」

間髪を容《い》れず手を突っ込んだ学生がガブリと手を嚙まれて悲鳴を上げた。

「佳代子、よせっ」

慌てて佳代子を学生から引きはがそうとする正博。しかし、佳代子の歯はがっちりと学生の手をくわえたままなので学生も泣き声を上げて引きずられる。今度は佳代子の口から学生の手を引っ張り出そうと綱引き状態になった。静かな午後のホテルは、突然の阿鼻叫《あびきょう》喚《かん》に投げ込まれたのであった。

48

ダリオは『どらや』の紙袋の底のタオルの下でうずくまり、やたらと騒がしい外の喧騒《けんそう》を自分の世界からシャットアウトしようと努力していた。

彼とて、幼い頃のアルフレッドの非業の死を忘れてはいなかった。あまりにも退屈して、つい外に出てしまったが、今ではそのことを後悔していた。知らない土地に来たら、じっと身を潜めているのが一番だ。下手に飛び出してアルフレッドの二の舞になるわけにはいかない。

ダリオはこの場所を動かないことに決めた。もともと何時間でもじっとしていることが平気な彼のこと、外から見ただけではまさか紙袋の中に彼がいることなど誰も気付かないだろう。

49

「ジャパニーズ・カニバリズム？」

フィリップは目の前で繰り広げられている騒ぎが理解できず、クミコに尋ねた。

クミコは苦笑して小さく首を振る。

「たぶん、痴話げんかです」

「チワなに？」

「男女のもつれでしょう」

「確かにみんなでもつれているが」

「それよりも、どこかに出かけるところだったんですか？」

「いや、ちょっと。熱いコーヒーでも飲もうと思って」

フィリップは口ごもる。やはりペットを捜しに来たとは言えない。が、目の前ですったもんだしている男女の中で、自分を注視している女の子がいることに気が付いた。

フィリップは戸惑った。なんだろう。知り合いではないと思うのだが。

「ふぃ、ふぃ」

知的な眼鏡を掛けた少女（なかなかの美人だ）は、口をぱくぱくさせている。少女の様子に気付いた男子学生も彼に気付き、ぽかんと口を開ける。

「フィリップ・クレイヴンっ」

二人は声を揃えて叫んだかと思うと、それまで口をこじあけようとしていた女からパッと手を離し、こちらに向かってまっしぐらに駆けてきた。フィリップは思わず逃げ腰になる。

春奈は最初そこに外国人がいるなと思って視線を走らせただけだったのだが、ふと視線を戻そうとしてその顔に見覚えがあることに気が付いた。しかもごく最近目にした顔である。忠司も春奈とほぼ同時にそのことに気付いたらしい。

春奈と忠司は顔を紅潮させ、先を争ってショルダーバッグから『ナイトメア4』のパンフレットを取り出し監督に差し出した。

「ぷりーずさいんみー」

「ういえんじょいどゆあむーびーとぅでい」

「ざっつぐれーとむーびーばっとあいしんくあれはあんふぇあ」

フィリップは面食らった。

二人で口々に何か叫んでいるが、どうやら彼のファンらしい。パンフレットを持っているところを見ると、『ナイトメア4』を見てきたところらしい。こんなところでファンに会うというのは、観客の裾野《すその》が広がっていると考えるべきで喜ばしいことかもしれない。フィリップは少し気をよくした。二人は矢継ぎ早に質問を浴びせてくるが、その後ろでは相変わらず修羅場が続いているので、なんだかうるさいだけでよく分からないのだった。

「放してよ嘘つきっ」

その声でみんなが黙り込んだ。

「みんな嘘つきなんだから。そうやって陰で人のこと笑ってればいいわ。あたしのことなんかほっといてよっ」

いったいあの細い身体のどこにそんな力が残っていたのか(取り押さえる人間が二人減ったせいもあるかもしれないが)、ついに痩《や》せた女は周囲の人間を振り切り、落ちていたサングラスを拾いあげると、ぼろぼろ涙を流しながら飛び出していってしまった。手に歯形をつけた蒲谷も目を潤ませていたが。

その場はしんとしてしまい、さすがに誰も彼女を追おうとしない。

正博と美江はバツの悪い表情でそっと互いの顔を盗み見た。

「——嘘つき、か。ほんとのことだけど、言われるとやっぱぐさっと来るな」

正博は自嘲《じちょう》めいた笑みを浮かべてそう呟《つぶや》くと、背広の襟を直し、佳代子の置いていった『どらや』の紙袋を持ち上げた。紙袋を見下ろししょんぼりとうつむく。

「あーあ、置いてっちゃった」

「説得しようとしたのが裏目に出たわね」

美江は落ち込みそうになる自分を必死に奮い立たせ、正博の顔を正面から見た。

「だけど、ここであの子を放っておくわけにはいかないわ。あの子、やけっぱちになってたし、何を飲んだのか分からないけど吐き出させなくちゃ」

「でも、あれが毒だとは限らないじゃないか。ただの演技だったのかもしれないし」

「あのう、すみません。あのひとが飲みこんだの、カプセルでしたよね——ものによるけど、あれ、二、三時間で溶けるタイプのものじゃないかなあ」

そこで口を挟んだのは春奈だった。彼女の家は薬局なのである。

彼女の落ち着いた口調にみんなが注目した。

「ちょっと聞いてもいいですか？」

春奈は正博の顔を見た。正博は「えっ」という顔になったが頷《うなず》く。

「最初、あのひと一人で待ってましたよね。三人で待ち合わせしたんですか？」

正博は美江の顔を見た。美江は春奈の質問の趣旨が分からないというように春奈の顔を見る。

「本当は、あのひととあなたと二人で待ち合わせしてたんじゃないんですか？　あのひと、あなたたちが現れたのを見てすごく驚いてたし、怒ってたから」

春奈は正博の顔を見て、美江の顔を見る。二人は決まり悪そうに頷いた。

「あのひと、おかしな格好してましたよね。痩せてるのに身体に合わないサイズの服着てたし、サングラスは顔隠してるみたいだったし。さっき腕をつかんだ時、スーツ、ぶかぶかでしたもの。それに、もっと気になったのは」

春奈はぐるりとみんなの顔を見る。

「あのひとの手をつかんだ時、あれっヘンだなって思ったの。あのひと、指先にテープ貼ってたんですよ。あたし、最初あのひとアトピーなのかしらって思ってたんです。けど、よく見たら手はとても綺麗《きれい》でした。サングラス外しても、顔もなんともなかったし。つまり──」

「つまり?」

みんなが春奈の顔を覗《のぞ》き込む。日本語のあまり分からないフィリップまでつられた。

「あのひと、変装してたんですよ。自分の顔を覚えられないように。しかも、指先にテープを貼っていた理由は一つしか考えられません。指紋を残したくなかったんですよ。あのひと、コーヒーに口付けなかったし、カップに触ろうともしなかった。ということは」

春奈は無邪気に正博の顔を見た。正博はぎくっとした顔になる。

「あのひと、最初はあなたにあの薬を飲ませるつもりだったんじゃないかなあ。で、あなたがあとで具合悪くなって、その薬を飲んだ現場がここだと特定されても、彼女がここにいたという証拠は跡形もないわけ。指紋もないし、お店の人もサングラスとピンクのスーッしか覚えてない。そう思いません？　最初から自分で飲むつもりだったら、変装したり指紋を隠したりする必要はないですもんね」

「ええっ」

正博は真っ青になった。

「だから、やっぱりあれは毒なんだと思います」

春奈はきっぱりと言った。

「そんな」

正博は口をぱくぱくさせた。対照的に、美江はその整った顔にキッと闘志を露《あらわ》にすると、ばんと正博の背中を叩《たた》いた。

「彼女を捜しましょう。まだそんなに遠くに行ってないと思うの。正博、今更びびるんじゃないの。あの子、それほどあんたに真剣だったってことじゃないの。あたし、まだ彼女、この辺りをうろうろしてるような気がするわ」

「お手伝いします」

すかさず春奈が言った。つられて忠司と蒲谷も頷く。なぜかつられてフィリップとクミコも頷いていた。美江はニッと小さく笑うと、すぐに表情を引き締めた。

「東京駅の構内放送で彼女を呼び出して貰《もら》いましょう。なんだったらあんたが直接呼び掛けたっていいわ。あんたが捜していることを聞いたら彼女だって考え直すかも。あんたたちはぐるっと駅を回ってちょうだい。あたしの携帯の番号教えとく。彼女を見つけたら電話して。くれぐれも興奮させたり、暴れさせたりしないように気を付けてね。さっきみたいに暴れられたら、おなかでカプセルが開くわ。さ、行くのよ正博」

美江はてきぱきとみんなに携帯電話の番号を教えてから、まだショックから抜け切れない正博の尻《しり》を叩いて駆け出した。つられて他の者も駆け出す。

「ね、さっきの推理ってイケてると思わない？　やっぱ幹事長はあたしよね」

走りながら春奈は蒲谷に笑い掛けた。慌てて忠司が口を挟む。

「あんなの俺だって考えてたぞ。たまたまおまえが先に口に出しただけで」

蒲谷は手を押さえ、痛みに顔をしかめながら鼻を鳴らした。

「ふん。薄情者どうしめが。よし、これが最終ラウンドだ。先にあの女を見つけ出して、薬を吐き出させた方が幹事長」

「よおしっ」

七人もの人間が血相を変えてどやどやとホテルの廊下を駆け抜けるのを、従業員たちが目を丸くして見送った。

50

「はい、関東生命八重洲支社でございます」

「もしもし、こちら警視庁の雫石と申しますが、田上さんはいらっしゃいますでしょうか」

「申し訳ございませんが、ただいま外出しておりますが」

「まだ戻られてないんですね」

「はい」

「それでは、戻られたら大至急、これから申し上げる電話番号に、必ず折り返しお電話いただくようお伝えください」

「はい××番ですね」

「それから、もし、この電話と行き違いで田上さんが戻られましたらですね、あなたが間違えて持っていった紙袋にはたいへん危険なものが入っているので、くれぐれも誰も触らないように、人のいない部屋に置いておくようにと伝えてください。できればビルの最上階の、角部屋がいいのですが」

「はい、かしこまりました。申し伝えます」

「いいですね、宜《よろ》しくお願いしますよ」

「はい。ごめんくださいませ」

経理課の井上めぐみは受話器を置いたか置かないかの瞬間、激しく咳《せき》こんだ。

デスクの上のティッシュボックスから乱暴に二枚続けて紙を抜き取り、下を向いて鼻をかんだ。ゴミ箱の中に積み上がったティッシュのカスを見ると、げんなりしてひりひり鼻が痛む。

ああ、つらい。こんな蒸し暑い時季に夏風邪引くなんて。また中耳炎になっちゃった。涙は止まらないわ、下を向いて書類を書いていると鼻水がとめどなく落ちてくるわ、サイテーの気分。明日は耳鼻科に行こ。それにしても、電話が聞き取りにくくってほんとに困るわ。今のも、後半ほとんど聞き取れなかったもんね。なんとか話だけは合わせたけどさ。でも、電話番号はしっかり聞いといたし、折り返しだから大丈夫だよね。

めぐみは伝言メモをちぎりとると、熱っぽい身体でよろよろ立ち上がり、メモを置きに行った。

メモにはこう書かれていた。

錦糸町の鈴木さんから電話がありました。戻ったら下記の番号にＴＥＬください。

ちなみに、彼女がメモを置きに行ったのは、帰社予定夜七時の法人企画課高木課長のデスクであった。

51

蛍が飛んでいる。とてもいっぱい、蛍がふわふわ。なんだかやけに赤っぽい蛍だ。

蛍というのはもうちょっと青白い光じゃなかったかしらん。

でも、確かに赤い光がいっぱい飛んでいる。

この音はなんだろう。このどこかで聞いたような音。蛍の鳴き声じゃないよな。なんだかもっと懐かしい音。眠くなるようでいて、心がかき乱される音だ。

俺は今何をしているんだっけ？

突然、額賀義人はハッと我に返った。

俺は。俺はどうしたんだ？　そうだ、雨で電車が止まって、それで、バイクが迎えに来て。

スイッチが切り替わるように頭が覚醒《かくせい》した。

それと同時に、唸《うな》る風と流線形の風景の中で、自分が凄《すさ》まじいスピードで移動していることに気が付く。

音の洪水。

さっきまでずぶ濡《ぬ》れだったはずなのに、いつのまにか身体が乾いていた。というよりも、風で水分が吹き飛んでしまったらしい。

いや。おかしい。この違和感はなんだろう。この音はなんだろう。さっき夢で見た蛍は？

義人はすっかり強張《こわば》ってしまった首をかすかに動かしてみた。

すると、そこに蛍が見えた。たくさんの赤い蛍。はて。まだ夢を見ているのだろうか。

いや、待てよ。あれは蛍じゃない。何かの光だ。照明にしては変な形だが。

次の瞬間、再び義人は全身が凍り付くのを感じた。凍るどころではない、化石になってしまったような心地だった。

やがて、じわじわと全身に冷たい汗が滲《にじ》んでくる。

彼の目に入ったのは、バックミラーに映った大量のパトカーだった。さっきから無意識のうちに違和感を覚えていたのは、凄まじい勢いで追いかけて来るパトカーのサイレンだったのである。それは、どう見てもこのバイクを追っているようだった。風景も見えない、目も開けられないようなこんなスピードで走っているのだ。しかも、さっきから一度も止まった記憶がない。ということはつまり――

頭の中はそこで真っ白になった。彼の意識がそれ以上思考することを拒絶したのである。

「うるさくてすみませんね、もうすぐいなくなりますから」

義人の疑惑を感じ取ったのか、黒い岩のような背中の向こうから低い声が聞こえてきた。

聞こえてくるというよりも、バラバラと音の固まりが流れてきて、あっというまに背後に遠ざかってゆく。

えっ？　もうすぐいなくなる？

義人は、バックミラーの中に二台の白いバイクが映っているのに気が付いた。

ピザ屋のバイクにしては、異様なスピードである。ぴったりと均一の距離を置いて後ろに付いているため、その姿はバックミラーの中で止まって見えた。

と、見る間にその二台のバイクがスピードを落とし、ゆらゆら左右に揺れ始めた。見ていてこちらが酔いそうなほどだ。倒れそうなコマにも似た、一歩間違えば大事故スレスレの動きである。要するに、車体を振って、後ろのパトカーの進路の邪魔をしているのだと気付いた。

二人がこちらのバックミラーに向かってVサインを送っているのを見た瞬間、義人の意識は再び現実世界から逃避することを選んだのであった。

52

父の智彦《ともひこ》は大喜びだった。残業しないでまっすぐ帰ってきてくれて、年に数回、特別なお祝いごとの時（越谷《こしがや》のおばあちゃんの誕生日とか、パパにボーナスが出た時とか）にしか使わない、近所のターミナル駅の「高いほう」のお寿司屋さんでご馳走してくれるという。

お寿司を食べておなかが大丈夫かどうか麻里花は一抹の不安を覚えたが、今日はおなか壊してもいいからいっぱい食べよう、と決心していた。それに、さすがに身体の中のものが全部出尽くしてしまって、毒素も抜けたのか歩いているうちにだんだん調子がよくなってきた。むしろ、空腹を感じ始めたほどだ。

麻里花よりも明子の方がはしゃいでいて、こんなに楽しい帰り道はなかった。なんだか自信が湧いてきて、道行く人の顔もなんとなくじっと見つめてしまう。

あたし、選ばれたんだよ。関東劇場でお芝居するんだよ。

麻里花は擦れ違う人に心の中で話しかけた。

やっぱり、選ばれるっていいもんなんだな。

麻里花はしみじみと喜びを嚙《か》みしめた。ママはこんなに喜んでるし、パパも早く帰ってきてくれる。それに、何よりも、また明日があるんだもの。今日に続きがあって、また明日あの場所に行けるんだもの。あの不思議な時間の中に入っていけるんだもの。

「あいたっ」

がくんという音がして、明子が何かに躓《つまず》いた。

麻里花は慌てて明子の腕をつかむ。

「だいじょうぶ、ママ？」

「やだー、やっちゃった。お気に入りのパンプスだったのに」

明子は立ち止まり、恐る恐る片足を上げて靴の裏を見ると舌打ちした。見事に根元からヒールが折れてしまっている。

「はは、恥ずかし。あんまり嬉《うれ》しくって浮き浮きして、年甲斐《としがい》もなくスキップなんかしたせいね」

明子はぺろりと舌を出し、苦笑いした。

「ママ、歩ける？」

麻里花は明子の靴を覗《のぞ》き込んだ。

「うん、大丈夫。東京駅の構内に靴を修理してくれるところがあるから、そこに寄ってくわ。ごめんね麻里花、ちょっと待っててね」

「うん、いいよ」

いつもは明子の買い物や靴の修理で待たされると不機嫌になる麻里花も、今日はなんにでも寛大だ。だって、オーディションに受かったんだものね。

明子は東京駅の近くの旅行代理店に勤めていたので、この辺りには詳しいのだ。

「確か、動輪の広場の近くだったんだけど、今もあるかな」

明子はヒールの折れたパンプスでひょこひょこ歩きながら、東京駅に向かって歩き始めた。

53

場所は再び丸の内側の動輪の広場。その隅っこの観葉植物の陰で目立たぬように話をしている三人の男たちがいる。

そこだけ、なんとなく薄暗い雰囲気だ。地味で目立たぬなり、どこにでもいそうな男たち。その中の一人、顔に痣《あざ》を拵《こしら》え、俯《うつむ》き加減の若い男はよく見るとあの川添健太郎だ。一緒にいるのは、髪を七三分けにした、七十年代ふうなインテリ男と、どんよりした目付きの小太りの男である。年齢はどちらも四十歳くらいだろうか。インテリ男は酷薄そうな目でじっと何かを考えこんでいた。小太りの男は、一見気怠《けだる》そうでいて、時折殺伐とした光を目に滲ませる。健太郎はおどおどと二人の表情を窺《うかが》っていた。額には汗が浮かんでいる。

「まずいな」

その顔からは意外なほど甲高い声でインテリ男が呟《つぶや》いた。健太郎は全身をビクリとさせる。

「決行は今夜だよ。明日の朝、いっぺんに『試作品』を作動させるはずだったろ。みんなあちこちでこのイベントを成功させるべく、準備を進めてきたんだよ。それはまずいだろ」

　インテリ男は歌うような軽やかな声で早口に繰り返した。

「はい。よく分かってます」

　健太郎は消え入りそうな声でますます俯き加減になる。

「取り返すか」

　インテリ男は無邪気な声で言った。

「それとも、ここでイベントをぶちあげるかだな」

　健太郎はぎょっとした顔になった。インテリ男は健太郎の表情などお構いなしで、その土気色の顔からは想像もつかない、やけに赤い舌をチロチロと覗かせながら唇を嘗《な》めている。

「『試作品』はどういう基準になってる？　開けた瞬間に？」

　小太りの男の方が小さく手を広げてみせた。健太郎は神経質に頷く。

「開けるか、思い切りぶつけるか、だ」

「ふうん。パーティの前にプレゼントを開けられたんじゃ、他の子供たちの楽しみがなくなっちゃうじゃないか」

　インテリ男は相変わらず甲高く軽やかな声で独り言を言った。

　健太郎はますます恐縮する。

「ねえ？　それじゃあみんなに不公平だものね？　みんながわくわくしてるって時に、一人だけ先にプレゼントの内容を知ってるっていうのは興ざめだろ？」

インテリ男はそこで初めて健太郎の顔を見た。健太郎はぎょっとしたようにかすかに身を引いた。

「取り返せるか？」

小太りの男のほうが値踏みするように健太郎を見た。

「そいつらは、まだ中身には気付いてないんだろ？」

「恐らく。見た目もみすぼらしいし、どこかに捨てちまってるかもしれない」

「はっ！　そいつは素晴らしい。どこかに捨てられてる？」

小太りの男は肩をすくめ、歪《ゆが》んだ笑みを浮かべた。

「ずうっとほったらかしだった場合、『試作品』はどうなる？」

「その場合は、十五時間後に」

健太郎はてのひらを広げた。

「ふうん。十五時間後に、か」

インテリ男は立つ位置を微妙にずらすと、健太郎の顔が正面から見られるようにした。

健太郎は恫喝《どうかつ》されたかのように身体をかすかに震わせる。

「そもそも、『試作品』はみんな一斉に明朝作動する予定だったから、タイマーはみんな十五時間後に合わせてあるんだ」

「そうだよな。あの『試作品』を作るのに何日かかったっけ？」

「四か月」

「そうだよな」

健太郎の顔を見て、二人の男が揃って頷くのは不気味な眺めだった。

「やっぱり、まずしなければならないのは『試作品』を取り返すことだな。がんばろうよ。みんなで楽しいパーティを開くには、それなりに努力しないと」

「わ、分かった。捜してくる。今度こそむしりとってくるよ」

健太郎は視線をそらし、請け合ってみせた。

「取り返すことができなかった場合は」

冷たく甲高い声が彼の声を遮るように響く。

「取り返すことができなかった場合は？」

健太郎は繰り返し、ちらりと目の前の二人を見た。

二人は返事をせずに、じっと健太郎の顔を見つめている。

健太郎はその沈黙に耐えきれなくなり、今度こそ細かく震え始めた。

そうなるのを待っていたかのように、インテリ男はおもむろに乾いた声で呟いた。

「その時は、パーティの時間を繰り上げることを考えなくちゃいけないな。世の中、不公平はいけないことだからね」

54

「ああ、やっぱりあったあった」

明子はホッとした表情で、コンテナのような靴屋のブースを指さした。

「麻里花、そこで待っててよ」

明子はそう言い置いてブースに向かって歩いていく。どうやら先客がいるらしく、麻里花に向かって『待っててね』と拝むしぐさをした。

麻里花はぶらぶらしていた。

大きな黒い車輪がある動輪の広場は、おじさんばかりが待ち合わせをしている。女の人は全然いない。喫煙所で一人、もうもうと煙草をふかしているおばさんがいるけど、あとは全部おじさんだ。

煙草のけむりは喉《のど》に悪いと思い、麻里花は本能的にその場所を離れた。

観葉植物の陰でこそこそ話をしている男の人たちが目に入る。

なんでわざわざあんな隅っこで話をしてるんだろ。幾らでもスペースがあるのに。

麻里花は構内をぶらぶらした。ネクタイや革製品を売っているけれど、麻里花の興味のあるようなものはない。少し離れたところに、女の人向けのキオスクがあるのでその店頭を冷やかすことにする。そこならファンシー・グッズも置いてあるし、麻里花でも時間を潰《つぶ》せそうだ。

店を覗《のぞ》いた麻里花は、中に自分と同じくらいの年の女の子がいるのに気付いた。

あれ？

都築玲菜だ。

なんで玲菜ちゃんがここに？　もう帰ったんじゃなかったの？

そのつまらなそうな表情を見るに、彼女もまたそこでぶらぶらして時間を潰しているらしい。

麻里花が玲菜を見ていると、不意に玲菜がこっちを見た。ばったり目が合って、互いにびっくりする。

「玲菜ちゃん」

ためらいがちに声を掛ける。玲菜はこっちに歩いてきた。

「麻里花ちゃん、どうしてここに？」

「ママを待ってるの。取れちゃった靴のかかとをそこで直してる」

麻里花は顎《あご》で明子がいる方向を指した。

「玲菜ちゃんは？」

「あたしも。ママ、電話してるから」

玲菜はフッと暗い表情になり、ちらっと目をやった。その視線の先を見ると、広場の喫煙所の側に設けてある公衆電話で、凄《すご》い形相で文句を言っている玲菜の母親の姿があった。その顔は真っ赤で、口を極めて相手を罵《ののし》っている様子が遠目にも窺《うかが》えた。

ひえー、怖い。相手はいったい誰なんだろ。何をあんなに怒ってるんだろ。

麻里花がびびってそう思いながら玲菜の顔を見ると、玲菜はスッと目を伏せた。

「どこかのプロデューサーの人だよ。ママは、サリー役はコネがあるから絶対大丈夫だと思い込んでたんだ」

玲菜は冷めた声で淡々と呟いた。相当長い間、ああやって電話を掛けているらしい。

麻里花はどう返事をしていいのか分からなかった。さっき、トイレの入口で立ち聞きした話が脳裏に蘇《よみがえ》る。玲菜はもうすっかり落ち着いていた。いつも通り、おっとりしてにこやかな少女に戻っている。

麻里花が口ごもっているのに気付くと、玲菜は麻里花の肩をとんと叩《たた》いた。

「麻里花ちゃん、おめでと。がんばってね」

玲菜はにこっと笑って麻里花の顔を見た。麻里花はなんとなくショックを受けた。

やっぱり、玲菜ちゃんは強い。あたしだったら、玲菜ちゃんにこんなことは絶対言えないだろう。

「うん。ありがと」

麻里花はなんとなく照れくさくなった。ほっこり胸のどこかが熱くなる。

「玲菜ちゃん、今度、よかったらうちに遊びにおいでよ」

するりと口からその言葉が出ていた。

「え」

玲菜は驚いた顔になり、すぐにパッと明るく目を輝かせた。

「ほんと？　いいの？　麻里花ちゃんち？」

「うん。すっごい狭いとこだけどさ。何か紙持ってる？」

「うん、うん」

玲菜はそわそわした様子で小さなスケジュール帳を取り出した。麻里花はそのスケジュール帳を受けとり、後ろの方の白いページに、一緒に付いているボールペンで住所と電話番号を書いた。

「お仕事ヌキで、遊びに来てね」

麻里花は真剣な表情で玲菜の顔を見て言った。

玲菜はその言葉の意味を即座に理解したらしく、麻里花の顔を見つめ返すとはっきり頷《うなず》いた。

「うん。お仕事ヌキで」

「約束だよ」

麻里花は小指を差し出した。玲菜もすぐに小指を絡めて、二人で指切りげんまんをする。

「ウソついたら針せんぼんのーます、指きーった」

声を合わせ、ぱっと離す。

二人はどちらからともなく顔を見合わせ、同時にニッと笑った。

「やれやれ、まだかかりそうだなあ」

玲菜はあきらめたような顔で、相変わらず凄い剣幕で電話先の相手を罵っている母親に目をやった。明子の靴の修理もまだ始まっていないようだ。

「退屈だねえ」

「うん」

「置いてっちゃおうか」

「ねえ」

二人は並んでぶらぶらと広場の中を歩き出した。

55

東京駅の中には、丸の内側と八重洲側とに、警視庁鉄道警察管轄下の交番がある。

優子が自分で買ったお菓子への執着絶ちがたく、吾妻俊策を捜してもらうためにわざわざ遠い丸の内側の交番を選んだのは、途中であの老人に会えるかもしれないとわずかな望みを抱いたからだった。会社を出てから既にかなりの時間が過ぎていることを自覚していたが、やはりこの落とし前はあのお菓子を持って帰るしかない、と優子は思い込んでいた。

しかし、ここは一日の乗降客数十万人という東京駅である。週末の構内は、いつもより更に通行人の歩くスピードも上昇し、ますます人通りが多くなっていく。迷宮のような通路の中で、一人の小柄な老人を捜し出すのは至難の業であった。

一方、警視庁ＯＢの四人も相変わらず捜索を続けていた。

しかし、彼らが現在の第一目標にしているのは川添健太郎の方だったため、丸の内方面に向かって歩いていく、平凡なＯＬの姿なぞは彼らの目に入らなかった。

貫三は関東生命八重洲支社に連絡を入れてみたが、まだ優子は戻ってきていなかったので、とりあえず伝言と連絡を頼んでおいた。となれば、ことの元凶であり、何かを企《たくら》んでいるらしい健太郎を見つけ出すのが先決だ。しかも、ヤツは一人ではない。ヤツが『作品』を持ってこんなパブリック・スペースをうろうろしていたからには、必ず近くに仲間がいるはずだ。健太郎は自分の仕事には執着するタイプで、職人肌の爆弾屋だった。今ごろは自分の『作品』を取り戻そうと躍起になっているはずで、まだこの辺りにいると彼らは確信していた。

彼らは合流したあと既に動輪の広場を離れてしまっていたため、こうして血眼になって捜している相手が、ついさっきまで彼らがなごんでいた場所で雁首《がんくび》を揃えてミーティングをしているとは夢にも知らない。

場所が場所であるだけに、捜査は慎重に進めなければならない。ＯＢである彼らの立場は微妙だった。古巣に連絡を入れたが、すぐに爆発物処理班を回してもらうことはできなかった。もう少し状況を把握してから動くように、と釘《くぎ》を刺され、とりあえず警視庁から秘密裏に応援がやってくるはずである。

もちろん、何も彼らが捜査をする必要はないのだが、川添健太郎は有名な爆弾犯であり、長い間うまく逃げ回ってきた宿敵だった。ＯＢとなった今でも、彼が起こしたさまざまな事件は皆そらで言えるほどだし、彼を捕らえられる千載一遇のチャンスとあっては、勝手に身体が動いてしまうのだった。

もっとも、彼らに一緒に付いて歩きながらも、唯一、吾妻俊策だけは優子のことを気に掛けていた。自分を助けてくれた娘が、自分のせいで爆弾を持っていると考えると、矢も盾もたまらなくなる。彼女に偉そうなことを言った自分がうらめしい。本当に、世の中には自分の理解を超えた人間がいっぱいいるものだ。あまり人を憎まない俊策も、あの若い男には強い怒りを覚えた。

ただ、どうやら句会のオフ会だったはずの一日は、既に違う方向に向かっているらしい、ということだけは確かなようであった。

俊策が気を揉《も》んでいる頃、優子は例によって胸を張って勇ましく丸の内に向かって通路を進んでいた。きょろきょろと俊策の姿を捜しつつ、同時にゴミ箱も捜していた。

しかし、ゴミが深刻な都市問題と化した昨今、なかなかゴミ箱が見つからないのが実情である。優子はなんだかよく分からない汚い包みの入ったこの『どらや』の紙袋をとっとと始末したかったのであるが、彼女の行く手にゴミ箱は見当たらなかった。ゆえに、丸の内側の交番に彼女が到着した時も彼女の手にはまだ『どらや』の紙袋は提げられたままであった。

それにしても、東京駅の交番は千客万来である。

予想以上の盛況に優子は啞然《あぜん》とした。よろず相談所かと思われるほど、さまざまな国籍とさまざまな年代の人々が押しかけ、警官は慣れた様子でてきぱきと相手をしている。この警官は朝のキオスクでもじゅうぶんやっていけるな、と優子は思った。耳の遠い、今時珍しいほど方言の強い、でかい風呂敷《ふろしき》包みを背負ったおばあさんと必死にコンタクトを試みている若い警官を見て、賞賛の思いで胸がいっぱいになる。

ここの担当者は特別手当でもなけりゃやってらんないわね。交番の警官って、ほんとに道詳しいもんね。すぐにタクシーの運転手に転職できるんじゃないかしら。ホテルのコンシェルジェとかさ。でも、ごく狭いエリアしか詳しくないから、やっぱり駄目かも。

しかも、構内で誰かを捜している人は優子だけではなかった。待ち合わせに失敗した人々が優子の前に列をなしていたのである。優子は焦りを覚えた。自分の話を聞いてもらうまで、まだかなり時間がかかりそうだ。

さて、優子のすぐそばに、優子と同じく、順番待ちにやきもきしているカップルがいた。彼らもまた人を捜している二人だった。

毒入りと思《おぼ》しきカプセルを飲んだ浅田佳代子を捜しだすべく、駆け付けてきた正博と美江である。二人は心配のあまり、顔が真っ青になっていた。だが、その心配の対象は些《いささ》か相違している。

美江は、女のカンで、佳代子がまだ近くにいると信じていた。だが、佳代子が電車に乗ってしまっていたとしたら、ここにいても何にもならないのだ、という考えが頭から離れなかった。

あの若い女の子は、カプセルが溶けるまで二、三時間はかかると言っていたが、カプセルにはいろいろ種類があるはずだ。あのカプセルがもっと速く溶けるタイプだったらどうしよう？　彼女が毒に身体をひきつらせ、道端に倒れているところが目に浮かぶ。

美江は、思わず自分が毒を飲んだかのように胃を押さえてしまうのだった。

正博は正博で、まだ佳代子が自分を殺すつもりであったというショックから立ち直れていなかった。げに恐ろしきは女。やっぱり、今度こそああいうタイプの女はやめよう。今、彼女はいったいどこにいるんだろう。自宅に電話を掛けてもまだ誰も帰ってないみたいだし。もし彼女が死んでしまったら、まるで俺たちが殺したみたいじゃないか。それじゃああまりにも後味が悪すぎる。悪い噂を立てられたらどうしよう。ああ、モテなくなるかもしれない。商売にだって影響するし。

正博はみみっちく、ひたすらそんなことを考えていたのだった。

同じ頃、春奈たちも佳代子を捜して東京駅の構内を駆け回っていた。なにしろ、彼女に幹事長のポストが懸かっているのである。春奈も、忠司も、それについていく蒲谷も表情は必死だった。

どうしても先に彼女を見つけなければ。でなきゃ、ここまでの苦労が水の泡だわ。

どうも春奈が優勢のような気がする。ここでとりかえさなくちゃ。

互いに出し抜かれぬように牽制《けんせい》しながら、春奈と忠司はそう考えていた。

フィリップ・クレイヴンとクミコも佳代子を捜していた。クミコはすっかり佳代子に同情していた。彼女は霊感が強いせいか、同情した相手にのめりこんでしまうたちらしい。もっとも、フィリップ・クレイヴンは、同時に彼の愛するペットであるダリオも捜していたのだが。

ああ、ダリオはいったいどこにいるんだろう？　駅に迷いこんで、雑踏に踏みつぶされていたらどうしよう？　フィリップの胸にはどす黒い不安が込み上げてくるのだった。

誰もが誰かを捜していた。

俊策は？　優子は？　健太郎は？　佳代子は？　ダリオは？

遅々として進まぬ列の中で、考えれば考えるほど正博と美江はパニックに陥りそうになる。

かくて、イライラした正博と焦っている優子は、それぞれ中身を知らない同じ模様の袋を持って、いつのまにか隣合わせに並んでいたのだった。

56

市橋健児の運転技術が人並み外れていることは確かだった。それは、無謀という言葉でも言い表せるものであるが。

その証拠に、ここまで一度も停止することなく、いつのまにか前方に東京のビル街が近付いてきている。その懐かしい風景の気配を感じ、ようやく目を開けることができるようになった額賀義人は、生きてこの風景を拝めたことに感激し、新たな涙で瞳《ひとみ》を濡《ぬ》らすのであった。

が、健児の部下二人がかなりの分量のパトカーを引き止めたものの、敵もその程度で引き下がりはしない。どうやら相手は健児の行動パターンを熟知していると見え、いったんまいたかに見えても、少しするとまたどこからともなく行く先々に現れる。千葉県警がどこにこれだけのパトカーを隠し持っていたのかと不思議に思うほど、次から次へと新たな追っ手が現れるので、義人の恐怖はいつのまにか驚嘆に変わっていた。

「ちっ、さすがは東山のじじいだ。俺の道筋を読んでやがる」

健児は半ば嬉《うれ》しそうに呟《つぶや》いた。チラリと時計に目をやり、叫ぶ。

「おっ、もうすぐタイムリミットだ。会社はどこだ、部長？」

「京橋三丁目」

「それは東京駅のどっち側だ」

「八重洲側です」

「よし」

健児が更に加速しようとする気配を察し、義人は慌てて叫んだ。

「あ、あの、近くで降ろしていただければ」

「駄目だ！　ピザは客に渡すまでが仕事！　代金と引き換え！」

「はっ、ハイッ」

それでも、さすがに徐々に交通量が増えてきて、これまでのように闇雲な飛ばし方は難しくなってきた。マシンが通常のものよりも大きいだけに、いくら健児の運転技術が卓越していても車の間を抜けるのは容易ではない。

「トロトロ走りやがって！　クリスピーチキンにしてやる！」

「乱暴はいけません、乱暴は」

必死にすがりつく義人は、健児が何かにピクッとしたことに気付いた。

サイレンの音が聞こえる。それも、前方からである。

「畜生。じじいめ、本気だ。ようやく隅田川を越えたとこだってのに」

「わっ。あんなに」

義人は、遥《はる》か前方の交差点を曲がりこちらに向かってくるパトカーを見て動転した。一台や二台ではない。十台以上の車が次々と道路を曲がり、広がって走ってくる。アクション映画の一場面のようだ。周囲の車が一斉にがくんとスピードを落とした。明らかに、パトカーは捨て身で道路を封鎖するつもりである。

「ちっとばかし遠回りするぜ！」

突然、健児がハンドルを大きく切ったので義人はオートバイから振り落とされそうになった。

「ひぃっ」

いきなり車線を突っ切り、車と車の間を通り抜けたのだからたまらない。後ろでどすん、ずしん、という音が連続して鈍く響いた。スピードを落としていた車が急ブレーキを掛け、次々と追突した音らしい。オートバイは道路を横切り、細い路地に突っ込む。

ビルの谷間は暗く、前方に見えていた銀座の町並みが見えなくなってしまったので、義人は希望の光が遠ざかったような感じがした。

ふぎゃっ、という声がして猫がバラバラと逃げて行く。

「猫を殺さないでくれええ」

義人は悲鳴を上げた。彼はおばあちゃん子だったせいか迷信深く、猫が目の前を横切った時には道を変えるほどなのである。

「尻尾《しっぽ》かすめただけだ」

「たたりじゃあああ」

「背後霊みたいな声出すなっ」

どこをどう走ったのか、前方にはＪＲの高架線が見えてきた。

「新橋だ。しゃあない、いったん向こうに抜けるぞ」

ガード下を抜けると、日比谷の高層ビルがそびえ、都心に来たという実感が湧く。空はどんよりとした真っ黒な雲が垂れこめていて、今にもビルに落ち掛かりそうだ。もっとも、義人は自然気象を観察するどころではなかったが。

その時、健児の携帯電話が鳴った。彼はスピードをゆるめ、電話を取り出す。

「ケンジ、今どこ？」

加藤えり子の声である。健児は軽く頭を下げた。

「姉さん、お待たせしております。今東京駅の近くです」

「さすがね。お客さんは？」

「めちゃめちゃ来てます。すいません、振り切れなくて」

「部長は無事？」

「一応」

「じゃあ、八重洲南口付近で降ろして。金はあたしが持ってく。領収証出しといて」

「五分以内に八重洲に着きます」

電話をしまうと健児は「よしっ！」と気合いを入れ、再びハンドルに力を込めた。

57

受話器を置いたえり子はすくっと立ち上がった。

「あと十分もすれば部長が着きます。北条さん、部長の回収はよろしくお願いします。あたし代金払ってきますから」

「部長の回収？」

経理が用意しておいた、金の入った封筒を渡しながら和美は首をかしげる。

「たぶん、浜に打ち上げられたトドみたいになってると思うんで」

あっけに取られる他の社員を残し、えり子はさっさと廊下に出てエレベーターで下に降りた。

通りに飛び出し、きょろきょろと辺りを窺《うかが》う。

たぶん、いるはずだ。週末だし、この時間帯はその辺にたむろしてるはず。

えり子は鋭く視線を走らせた。

いたっ！

視線の先に、ビルから出てきてオートバイに乗ろうとしている若い男の姿があった。

近くに中規模の広告代理店の入っているビルがあって、月末のこの時期、いつもそこからの依頼に待機しているバイク便の従業員がいるのである。

「すみませーん！　そこのバイク便の方！」

えり子は男目掛けて駆け出した。若い男は、駆けてくるえり子に気付き、きょとんとした。えり子は近付きながら素早くオートバイの状況を値踏みする。ふむ、手入れはよさそうだ。商売道具だから当然だけど。エンジンも掛かっている。

「特急でお願いしたいんですけど」

えり子はニッコリ笑って男に近付く。

「あ、あの。これから出かけるところで。予約センターの方に言ってもらわないと」

男はどぎまぎしながらえり子の顔を見た。

「だから、特急で返すわ」

「え？」

「二十分、待ってて！」

えり子はヘルメットをむしりとり、どんと男を突き飛ばすと、バイクに跨《また》がった。

「わーっ。ドロボーッ」

あっと言う間に悲鳴が後ろに遠ざかっていく。

58

「あーあ。まだ喋《しゃべ》ってる。いつまでかかるんだろ。これ、重いなあ」

玲菜は、遠くに見える電話中の母親と、母親から押し付けられたいろいろなものの入ったトートバッグとに、交互にうらめしそうに目をやった。

麻里花も明子の様子を確認したが、前の客が長いらしくまだ取り掛かっていない。明子も申し訳なさそうに麻里花の方を見ると、小さく手で拝む真似をした。麻里花は肩をすくめてみせる。明子は、そばにいるのが玲菜だとは気付いていないようだ。

二人はいよいよくたびれて、動輪の広場の壁際に立って通行人を眺めていた。

広場の隅で、さっきから観葉植物の陰でぼそぼそと深刻そうな表情で話をしている三人が、もう一度目に留まる。周りではいっしんに煙草を吸っている人が多いので、目立たないようにしてはいるが、その三人はなんとなく浮いて見えたのだ。

暗そうな人たちだなあ。顔色悪いし、目付き悪いし。なんのお仕事してるんだろう。

麻里花はじっとその三人を見つめた。

お芝居をするには、観察力が大事です。劇団の先生の言葉が頭に浮かんだ。

人は性格によって身振り手振りも違いますね？　わがままな人の歩き方と、臆病《おくびょう》な人の歩き方は全然違うでしょう？　お芝居の登場人物には、それぞれの生活があり、過去があります。その登場人物が、普段どんな生活をしているか考えましょう。どんな食べ物が好きで、どんな音楽を聴いているんでしょうか。その人に、どんな思い出があるのか考えましょう。レストランの中や、駅の待合室にいる人たちをよく観察してみましょう。その人はどんな性格の人ですか？　その人はどんな人生を送ってきた人ですか？　その人は、今何を考えているんでしょう？　観察して、想像するのです。私たちは、自分ではない人間になるのですから、お芝居をするには、どんな経験も無駄じゃありません。悲しい気持ち、嬉《うれ》しい気持ち、普段の生活でのいろいろな気持ちを覚えておきましょう。

あんまり幸せそうじゃないな。でも、何かに気を取られててそのことしか考えられないって感じ。

麻里花は三人にそういう印象を持った。どうやら、中でも一番若い男を他の二人が責めているように見えた。若い男は顔を真っ青にして、必死に弁明を試みている。

なんだか怖そう。いじめかしら。

三人は、おもむろにその場所を離れ、ゆっくりと歩き始めた。

どこに行くんだろう？

なんとなく興味を覚えた。見ていると、一番若い男が慌てたようにズボンのポケットに手をやり、くしゃくしゃのハンカチを取り出す。ハンカチを引っ張り出したのと同時にライターが落ちた。床に落ちたライターはコロコロと転がったが、男はそれに気付く様子もなく足早にその場を離れていく。

「あ」

「落とした」

麻里花と玲菜は同時に声を上げた。

「あの人、気が付いてないね」

「どうする？」

二人はなんとなく顔を見合わせたが、そろそろとそのライターに向かって歩き始めていた。玲菜もあの三人に好奇心を感じていたらしい。

麻里花はひょいとライターを拾い上げた。小振りだが、けっこう重いし、凝った模様が刻んである。百円ライターと違って、パパのライターみたいに高価なものなのかもしれない。パパが大事にしているジッポのライターなんかは、『一点もの』でとても高価なものらしいのだ。

よっぽど慌ててるんだなあ。こんなに重いものが落ちたのに気付かないんだから。

「渡してあげたら？」

玲菜が言った。退屈していたので、どこかに移動したいという気持ちもあったのだろう。

「そうだね」

麻里花は頷《うなず》くと、二人で男たちの跡を追いかけた。

59

健児は内心焦っていた。

八重洲側に曲がろうとすると、どの交差点でもパトカーがこちら目指して走ってくるのが見えるのである。いきおい、曲がらずにまっすぐ進むしかない。

くそっ。東山め、包囲網を張ったな。

だが、このままでは東京駅を通り過ぎてしまう。

健児は頭の中で必死に地図を思い出していた。この辺りは管轄外なので今いちよく分からない。八重洲、八重洲に出るには。

見ると、正面からもパトカーがやってくるのが見えた。このままでは袋のネズミである。

南無三。

一瞬、ここまでかと観念しかけたが、長年の宿敵である千葉県警の東山勝彦が快哉《かいさい》を叫ぶところを想像すると、心が屈辱でカッと燃えた。その瞬間、パッと何かがひらめいた。

「ちょっと揺れるぜ、しっかりつかまってろよ部長！」

「ええっ」

ためらいがちだったバイクは、再び加速した。東京中央郵便局を右に見たかと思うと、大勢のサラリーマンが流れこんでゆく赤レンガのずっしりした東京駅が見えてくる。そこでバイクはかすかに方向転換した。

「まっ、まさかっ」

義人はバイクの行き先に思い当たり、思わず絶望の悲鳴を上げた。

二人を乗せたバイクは、丸の内北口に突っ込み、八重洲側への連絡通路を突進したのである。

60

「あのう、構内での呼び出しをお願いしたいんですけど」

一向に進まぬ列に痺《しび》れを切らし、美江は後ろから声を上げた。

「あのね、ここではね、呼び出しはできないの。駅員さんの方に言ってくれる？　そうすれば、アナウンスしてくれるから」

がっしり老婆に腕をつかまれたままの若い警官が、感心にも笑顔を崩さずに返事をした。

「えーっ。そうなんですか」

美江と正博は悲鳴に似た声を上げた。隣で聞いていた優子もがっかりして、きょろきょろ辺りを見回す。

駅員。駅員。改札にいる人でいいのかしら？

歩き出そうとした瞬間である。突然、駅のコンコースに響き渡る爆音が耳を突いた。

「きゃーっ」

「わあっ」

黒い稲妻のようなものが一瞬にして目の前を駆け抜ける。何が起きたのか分からず、優子は目を白黒させた。交番の前の人だかりがなぎ倒され、悲鳴が上がる。身体を支えようとして反射的にてのひらを広げた優子は、手にしていた袋を投げ出してしまった。

「なんて野郎だ」

「無茶な。オートバイで通路を走っていったぞ」

警官が仰天して中から飛び出してきて、通路の奥を覗《のぞ》き込む。通行人もわらわらと集まってきて、奥を覗いた。耳をつんざく轟音《ごうおん》が遠ざかってゆく。オートバイでこんなところを通るですって？　なんて乱暴な。今日は傍若無人な連中ばかり目にして、気分が悪いったら。

優子は体勢を立て直し、仁王立ちになってオートバイが消えた通路を睨《にら》みつけた。が、その瞬間ふと、彼女は奇妙なデジャ・ヴを覚えた。通り過ぎたオートバイの後部座席に乗っていた男に、なんとなく見覚えがあったような気がしたのだ。彼女の動体視力はイチロー並みなのである。

まさかね。暴走族に知り合いはいないもん。

歩き出そうとしたとたん、誰かに肩を叩《たた》かれた。

「お嬢さん、忘れ物ですよ」

腰の低そうなサラリーマンが、ニッコリ笑って床に倒れている『どらや』の紙袋を指差した。優子はがっくりきた。ああ、これがあったか。

「すみません、ご親切に」

半分苦笑しながら優子は紙袋を持ち上げた。

「んぐげごごっ」

義人は言葉にならない悲鳴を喉《のど》で唸《うな》った。

連絡通路の階段を、健児のバイクがガリガリと音を立てて上ったのだ。

通行人が悲鳴を上げて左右の壁に張り付いて行く。さすが、日本のサラリーマンは逃げ足が速い。未《いま》だに人間を一人も引っ掛けずに走っているのが奇跡としか思えない。たちまちバイクは通路を通り過ぎ、八重洲側の開けた場所に出た。

「八重洲南口はあっちだな」

健児は右へ大きく曲がった。前方でバラバラと通行人が逃げ惑う。

「部長、降りるぞ」

「ぐがっ」

バイクは鉄砲玉のように南口から外に飛び出し、忘れ物取扱所の前で、機関車がブレーキを掛けたような凄《すさ》まじい音を立てて止まった。反動で後ろの座席が空中に持ち上がる。

「ひいい」

どすん、と地響きを上げてアスファルトに後輪が着地し、義人の身体は大きくバウンドして座席から跳び上がると、どたりと地面に投げ出された。

「よっしゃあ、お疲れさん。雨合羽《あまがっぱ》はサービスしとくぜ。今後とも『ぴざーや』をごひいきに。じゃあなっ」

目を回し、肩で息をしている義人を置いて、再び戦車のような黒い機械は始動した。あっというまに見えなくなる。

通行人があっけに取られてバイクを見送り、残された義人をじろじろ見ている。

義人は、世界が静止していることが信じられなかった。こうしてうずくまっていても、自分の身体の方がまだ超高速で動いているような錯覚を覚えるのである。

全身の筋肉が悲鳴を上げていた。百メートルを全力疾走させられたとしても、これほどの疲労感はなかったであろう。義人は自分がまだ生きていることに半信半疑だった。けれど、ようやくよろよろと立ち上がり、自分が雨合羽の中にカバンを抱えていることに気付くと、やっと自分の使命を思い出した。

メロスは激怒した。

なぜか、『走れメロス』の一文が脳裏にひらめき、彼は息も絶えだえで会社目指して走り出した。

62

川添健太郎は、追い詰められていた。ああは言ったものの、これだけ広い場所の、どこにあの老人がいるかなんて全く見当がつかない。もう移動してしまっただろうし、『試作品』を取り戻せる可能性など皆無に等しい。畜生、どうすればいいんだ。仲間の間での面子（メンツ）が丸潰れだ。仲間と準備してきたこれまでの四か月も水の泡。これからどんな冷たい目で見られることか。こいつらがどんなに陰湿な性格かはよく知っている。

しかし、彼はまだあの『試作品』に執着していた。彼は自分の作品にはきちんと製造ナンバーを入れている。彼の作品はアートなのだ。恐ろしく危険な、破壊力のあるアート。本物の芸術とは、資本や大衆に迎合したものではなく、既存概念を打ち壊す力を持っているはずだ。彼らの活動を時代後れだとか単なる趣味だなどと言っている連中もいるが、そいつらはこの疲弊し均一化された社会にすっかり飼い馴《な》らされてしまっているのだ。

俺の作品を、無駄にするわけにはいかない。アートにはアートにふさわしい展示場所が必要なのだ。芸術品には、きちんとした会場を与えてやらなくては。

健太郎は殺気に満ちた目で自分の前を歩いていく二人を見ていた。

こいつらは、全然分かってない。俺の作品を理解などしていない。こいつらにとって、俺の作品はただの汚らしい道具であり、彼らの自己満足の手段に過ぎないのだ。

とりあえず地上に出て、仲間との連絡場所になっている喫茶店に陣取ることにする。健太郎は一時間ほどあの老人を捜し、そこに戻る。計画の実行に関してはそれから考える。

そういう段取りになった。

地上への階段を上って八重洲南口に向かっているところで、ふと三人は耳を澄ました。

彼らの最も忌むべき音楽が流れている。

「なんだ？　パトカーか？　何かあったのか？」

訝《いぶか》しげに前の二人が表情を硬くするのを見て、健太郎はふとさっき出くわした男のことを思い出した。『試作品』に気を取られて忘れていたが、あのポケットに手を突っ込むしぐさは明らかにデカのもの。なんであんなところにデカが？

健太郎は背筋が凍るのを感じた。

まさか、計画が漏れているわけではあるまい？　誰かがドジを踏んだのか？　ひょっとして俺たちは張られているんじゃあるまいな？

次々と不吉な連想が頭に浮かんでくる。もしかして、あのじじいも仲間なのかもしれない。最初から俺を張っていて、わざと俺の『試作品』をかすめとったのだ。

「おい、マズイぜ」

健太郎は厳しい声を上げた。前の二人がぎょっとしたように振り向く。

「俺たち、張られてるのかもしれない」

「なんだと？」

「計画が漏れてたんだ」

二人は気色ばむ。

「そんな馬鹿な、この四か月全く何もなかったし、機密保持には万全を期していた」

「分からんぞ。思えば、俺が東京に着いた時点から、あのじじいは俺の後ろにピッタリついてたんだ。そこから既にバレてたのかもしれない。俺はずっと筑波にこもって作業してたからな。東京組が誰かマークされてたんじゃないのか」

健太郎はやや強気になった。長年公安といたちごっこをしてきた身としては、奴らに情報を漏らしてしまったというのは、非常に大きな屈辱なのである。

「東京組が？　そんなはずはない。互いに連絡も取ってないし、俺たち今日まで実際に接触したこともなかったんだぞ」

階段の途中で足を止め、三人は険悪なやりとりを交わした。

「待てよ。このパトカーが何のために来てるのか分からない。早とちりは禁物だ」

「でも、これが俺たち目当てだったらパクられて終わりだぞ」

「しっ。ちょっと見てくる」

三人は足取りを弱め、静かに階段を上っていった。その少し後ろから、二人の少女がついてくることには、まだ誰も気付いていない。

63

警視庁のＯＢたちも、大量のパトカーが地上を賑《にぎ》わせていることに気付いていた。

「なんだ？　応援か？」

「目立たないようにと言ってた割には随分派手な登場だな」

「行ってみよう。何か新展開があったのかもしれん」

もはや現役ではないがゆえに、必要な情報が入ってこないのが苦しいところだ。

「しかし、まずいな。奴らを刺激して逃げられたらたまったもんじゃない」

「別件かもしれん」

「様子を見てみよう。誰か知ってる奴がいるかも」

「うむ」

「あのお嬢さんは無事でしょうか」

足を速める彼らの後ろで、控え目に俊策が呟《つぶや》いた。

「大丈夫」

雫石貫三がはっきりと頷《うなず》いた。

「憎き奴だが、技術だけは確かな奴だ。そう簡単には奴の爆弾は爆発しない。しかも、あいつは用心深い男でな。セットしてから六時間以内に爆発するようなものは作らない。最低でも七、八時間。あいつがさっきまで姿を見せていたとすれば、まず爆発するのは早くても今夜半だな」

「はあ」

俊策はそこでようやく、かねてから胸に暖めていた疑問を口にした。

「あのう、皆さんはひょっとして同じ職場の方だったんでしょうか？」

俊策にそう聞かれて、初めて四人はぎくっとした。すっかり前職を隠すことを忘れていたのに気付いたのである。

「えっと——あ——その——そうだね、同じ職場だね。いやあ、バレちまったか」

雫石は赤くなったり青くなったりしながらしどろもどろに呟いた。

「そんな、何もお隠しになることはなかったのに。私、てっきり警察の方かと思いました」

「え？」

四人は顔を見合わせた。

「皆さんは先生ですね？　さっきの男は教え子だったんでしょう？　それで、こんなに苦労して捜し回ってらっしゃるんですね。なんて情が深いんでしょう。確かに、道を外れてしまった生徒というのは気になるものらしいですからね。私の友人もそう言ってました」

「は、はあ」

一人で頷く俊策を後ろめたそうに見ながら、四人は再び顔を見合わせた。

さっきは鋭いところもあると思ったんだが、やっぱり少しずれてるかもしれん。

貫三はそっと心の中で呟いた。

「そ、そうですね。ま、その、そういうわけで」

なぜか気まずい表情になるが、俊策は温かい目で四人を見回している。

「よし、かつての教え子、健太郎を捜そう！　ちょっと騒がしいから向こうの方を見てみよう、な！」

白鳥がやけに白々しい声で叫んだ。ぎこちなく頷き、五人は移動を始めた。

64

「あっ、部長だ！」

「本当だ、部長だわ！」

全身汗まみれで信号を渡った義人は、懐かしい声を聞いた。

支社の女子職員が、彼を見つけて歓声を上げている。思わず義人は目が潤んだ。会社に帰ってきてこんなに歓迎されるなんて。家でもこうはいかない。

真ん中で立っている北条和美が女神のように見えた。感激の面持ちで、義人は声を詰まらせる。

「ほっ、北条くん」

「部長、契約書と保険料と領収証の控」

和美はさっと手を出し、義人が抱えていたカバンをむしり取った。中から雨と汗でじんわり濡《ぬ》れた書類を取り出すと、中身をチェックする。和美は満足そうに頷いた。

「よし！　あんたは経理に入金して！　そっちは支社長に電話を！」

「はいっ」

女子職員はそれぞれが渡された書類を手にしてダッとエレベーターに走ってゆく。

「あっ、あの、北条くん」

「部長、お疲れ様でした」

そこに一人残っていた弱々しい笑顔の森川安雄を見て、義人はがっくり膝《ひざ》の力が抜けるのを感じた。

「大変だったんだ、ほんとに大変だったんだよー」

「分かります、分かります」

安雄と義人はがっしりと抱き合い、互いに肩を抱えながらよろよろとビルの中に入っていった。

65

八重洲側に無事出たものの、外堀通りの奥に再び追っ手の姿を発見して、健児は舌打ちしていた。

くそ。なんてしつこい。引き返そうと後ろを振り向いたが、やはりそちらからもパトカーが押し寄せてくる。

まだ前方の方が薄いと見て、健児はそちらに向かった。が、更に遥《はる》か前方から赤いランプがやってくるのが見えた。さすがの彼も、今日一日で一生分のパトカーを見たような気がした。

ちっ。これはヤバイ。見通しがきく広い道路ばかりだ。逃げ込む場所もない。

もはや、道路は半分麻痺《まひ》状態だった。どの車も徐行してクラクションを鳴らし、健児のマシンを見つめている。いつのまにか、野次馬も凄《すご》い。

きいん、という耳障りな金属音がどんよりした空気を引き裂いた。

「観念しろ、市橋健児！　もう逃げ場はないぞ！」

数年ぶりに耳にする、宿敵東山勝彦の声である。

前方の、最前列のパトカーの中でマイクを握る男の姿が見えた。

「もう言い逃れはできんぞ！　現行犯逮捕だからな！　神妙に罪を認めろ」

勝利を確信したのか、その声には余裕すら感じられる。

畜生。健児はぎりぎりと歯がみしたが、活路は見いだせない。

パトカーのドアがばたんばたんと開く音がして、わらわらと警官が出てきた。

その時である。

ばんっ、という音がして、突然パトカーの後方から一台のオートバイが空中に躍り出た。車のボンネットを飛び越えてきたらしい。

「うわっ」

警官たちは、自分たちの後ろから空高く飛び出してきたオートバイに目を奪われた。

バラバラと警官たちが蜘蛛《くも》の子を散らしたように慌ててよける。

オートバイは、警官たちと健児の間でバウンドし、見事なハンドル捌《さば》きで一八〇度回転し、キイッと止まった。

「お、女?」

警官の間からどよめきが上がった。

フルフェースを着用しているが、ハンドルを握っているのは「日本のOL」を絵に描いたような、薄紫色のベストとブラウスとスカートという、普通の事務服を着た若い華奢《きゃしゃ》な女であることが窺《うかが》える。本当にこいつが今パトカーの屋根を飛び越えてきたのか、と警官たちは狐につままれたように空を見上げた。

「ピザ屋さん、代金。釣りはいらないよ」

女はスカートのポケットから茶封筒を取り出すとピッと指で弾《はじ》いて健児の方に投げた。

「エリコ姉さん!」

健児の目がパッと輝く。

えり子は腰に手を当てた。

「ったく、この界隈《かいわい》、泡食って探しちまったよ」

「すんません、未熟者で――」

「だいたい、あんたは見た目に騙《だま》されすぎだよ。よく見てごらん、波状攻撃を仕掛けてきてるだけでマッポの数自体はたいしたことないだろ。あんたの後ろだって一列だ、一点突破するのはそんなに難しくないよ。せっかくのバッファロー号が泣いてるじゃないか」

「ハイ、おっしゃる通りで――」

「さ、行くよ。あたしもあんまり時間ないんでね。勤務中だし、バイクは返さなきゃならないし」

えり子はハンドルを握った。

後ろでぽかんと二人を見守っていた東山勝彦が震える手でえり子を指差す。

「まっ、待て、おまえ、ひょっとして――」

えり子はヘルメットをかぶった頭でサッと勝彦を振り向いた。

「あら」

意外そうな声で叫び、気安く手を振る。

「三年振りのご無沙汰《ぶさた》でした。ヤマカツじゃない、元気そうね。ちっとは出世した？」

「まさか、おまえ、か、加藤」

　そこまで言ったところで勝彦は蒼白《そうはく》になり、ぐらりと後ろに倒れた。

「あっ」

「親父さん」

「誰か、支えろ」

「救急車を呼べっ」

　周りにいた警官たちが慌てて勝彦を抱きかかえる。

「超過勤務はよくないね、こんな八重洲くんだりまで出張してさ。働きすぎじゃない？　さあさあ、皆さん、天下の公道だよ。週末、五十日《ごとうび》、悪天候ときた。こんなに長いこと道路を塞《ふさ》いだんじゃ都民の経済活動の邪魔になる。さっさと帰った方がいいんじゃないの？　行くよ、ケンジ」

　えり子は大きくハンドルを切り、二人を囲むように立ち尽くしている警官の前すれすれに車体を倒して円を描き、方向転換をした。悲鳴を上げて警官たちが後退《あとずさ》る。

「どいたどいた、爪先《つまさき》がつみれになっちまうよ」

　えり子は声を上げ、見物していた通行人の人垣すれすれに走り出す。通行人たちは慌てて後退し始めた。後ろの方でざわざわ声がする。

「なんかのＴＶなの？」

「映画の撮影かしら？」

「踊る大捜査線？」

「うまいスタントマンだなあ」

「あれ、本当に女の人かしら。女装してるのかもね」

警官たちが慌てて勝彦を車に運びこむのが見え、他の警官も思い出したように車に乗り込み始めた。たちまちサイレンが鳴り始める。

二人はぐんぐんスピードを上げ、日本橋方向に向かって走り始めた。

二台のオートバイが並行して走ってくるのを見て、パトカーを横づけにしていた若い警官が怯《おび》えたように手を泳がせた。

「あそこだ、行くよ」

えり子はぐいとハンドルを引いた。前輪がふわりと宙に浮き、後輪の下でアスファルトとの摩擦で火花が散り、ひゅるひゅると煙が上がる。

「怪我したくなきゃどきな！　顔にタイヤの跡を残したいか！」

宙で仁王立ちになって突進してくるえり子に、警官たちは我先にと逃げ出す。

えり子のオートバイが前輪を宙に浮かせたままパトカーの間を通り過ぎ、その後ろに健児の巨大なマシンが続いた。もっとも、彼のマシンは隙間を抜けられず、二台のパトカーを押し退けた形になったが。

「済まないね、ケンジ、仕事中なのにこんなことに巻き込んじまって。今度改めて礼に行くから宜《よろ》しくね」

並んで走りながらえり子は叫んだ。

「とんでもない、引退した姉さんにまで出てきて貰《もら》って、俺、立つ瀬ないすよ」

「また今度ね」

「ハイ、でも、久々に姉さんの走りを見て元気を貰いました」

「あ、そうだ、ケンジ領収証」

「ハイ、あります」

「ちゃんと項目をバイク便料金にしてくれただろうね？」

「ＯＫです」

後ろからパレードのようにサイレンが追いかけてくる中で、健児の手からえり子の手に領収証が渡された。えり子はそれをポケットにねじこむ。

「じゃあ、元気で」

「姉さんも」

二人は軽く手を振ると、示し合わせたかのように最初の交差点できっかり左右対称の軌跡を描き、左右に分かれて曲がっていった。

後ろの方で、どちらを追うかでパニックに陥っているのを背中で聞きながら。

66

時折ぽつぽつと雨を感じることはあっても小康状態を保ち、どんよりしながらもなんとか持ちこたえていた天気だが、えり子と健児が二手に分かれた頃からついにぽつぽつと重い雨粒が地面を叩《たた》き始めた。移動してきた低気圧が、ようやくここ東京都心付近にまで達したものらしい。雨はたちまち勢いを強め、同時に激しい雷鳴が響き始めた。ここ数年、都心ではこの時季スコールのような雷雨が増えている。

通行人たちは足を速め、我先にとビルの軒下や地下街へと吸い込まれてゆき、道路の人影はみるみるうちにまばらになっていった。

67

「雨降ってきたよ」

玲菜がそう呟《つぶや》いた。

「ほんとだ。うわあ、真っ暗だよ」

麻里花は背伸びをして駅のコンコースから見える空の断片に目をやった。

真っ黒な雲が動いているのが見え、白い雨の線がその雲から降ってくる。

三人の男を追って地上まで出てきたが、途中で足を止め、こそこそ話をしていたかと思うと動き出す、といった調子で、どうも声を掛けづらい。このまま引き返してしまおうかとも思うのだが、手に持っている珍しい形のライターがずしりと重くて、あっさり引き返すこともできないのだった。

一点ものなんだよ。そう言って、大事そうにライターを磨いているパパの姿が、麻里花の脳裏から離れないのである。大事にしていたものを落としたり、なくしたりした時のつらさは分かるつもりだ。一年くらい前に、オーディションに立て続けに受かった時にいつも付けていた髪飾りを落としてしまった時は本当に悲しかった。そのあと、オーディションに受からなくなったのはあの髪飾りのせいかもしれないと一時は本気で考えたほどである。今にして思えば、それくらいずっと麻里花はついていなくて、自分に自信が持てなくなっていたのだ。

気持ちを再現できるようになりましょう、という劇団の先生の言葉も脳裏をよぎる。麻里花は麻里花なりに、自分の手の中のライターに責任を感じていたのだ。

「ねえ、パトカーがいっぱいいるよ」

「何かあったのかな。おまわりさんがあんなに」

玲菜が、外に止まっている赤いランプを見て不思議そうな顔になった。

「そろそろ渡しておいでよ。随分遠くまで来ちゃったし、いいかげん、ママたちも捜してるかもしれない」

「そうだね」

玲菜に促され、麻里花も頷《うなず》いた。ちょっと怖そうな人たちだけど、感謝されこそすれ、拾ったものを届けたくらいで怒ったりしないだろう。

男たちは、階段を上りきったところで少し外の様子を窺《うかが》っていたが、やがて歩き出した。

麻里花はそのタイミングに合わせ、さっと駆け出して近付いていった。

68

「おじさん、ライター落としましたよ」

麻里花が川添健太郎の後ろ姿に声を掛けた瞬間、パッと鮮やかな閃光《せんこう》が空を走った。

一瞬、世界が色彩を失い、全てのものが白黒になる。

そしてその白黒の瞬間に、それまでは意味のない、バラバラのかけらだったものが、カチリと音を立てて繋《つな》ぎ合わされたかのようだった。

その瞬間、白黒画面となった駅のコンコースで、ふと、同時にいろいろな人たちがいろいろなことを思い付いた。そして、それは一瞬にして彼らを強く結びつけたのである。

川添健太郎たち三人は、コンコースに出て外にたむろしている警官たちを見た。警官たちは混乱しており、指揮系統を一時的に喪失していた。市橋健児を捕らえるために執念を燃やして彼らをここまで率いてきた東山勝彦が貧血を起こしていたため、どこからも指令が入らなくなっていたのだ。

パニックに陥っていた警官たちは、一様に興奮し、険悪な表情をコンコースの中に向けていた。

健太郎たちとほぼ同時に、雫石貫三たちも丸の内南口を出てこのコンコースに足を踏み入れたところであり、やはり外の警官たちを目にした。警官たちの緊迫した様子に、貫三たちは、彼らが爆弾絡みで動員されたものであると確信したのだった。

そして、警官たちに気付いたそのあとで、健太郎たちと貫三たちはお互いの姿を発見していた。それは、やはり同時と言ってよいほどの時間だった。

彼らはお互いの姿を一瞥《いちべつ》した瞬間、それが劇的な邂逅《かいこう》であることを瞬時にして悟った。

貫三は、それがぼやけた白黒写真で長い間見慣れていた『まだらの紐《ひも》』の幹部クラス、妹尾甚一《せのおじんいち》と水沼昭文《みずぬまあきふみ》及び爆弾職人川添健太郎であることを見抜いていたし、健太郎たち三人も目の前の男が自分たちを長年に亘《わた》って追ってきた当局のメンバーであることを悟っていた。

「おまえたちは包囲されている！」

貫三は反射的にそう叫んでいたが、その声は激しい雷鳴にかき消されており、彼らの耳に届いたかどうかは分からなかった。実際はそうではなかったのだが、貫三たちはそう信じていたし、彼らがそう信じていたことによって健太郎たちもそれを信じた。

本当に、外にいる警官隊は自分たちを追っていて、自分たちを封じ込めようとしているのだと。

これらのことが、丸の内南口のコンコースをほんの一瞬白黒に染めたわずかな時間のうちに起こったのだった。

閃光に続いて起きた激しい雷鳴に、誰もが動きを止めた。

が、その次の瞬間には、誰もが一斉に行動を起こし始めていたのだ。

最も速く反応したのは妹尾甚一だった。彼が真っ先に行ったことは、ポケットから折り畳みナイフを取り出してその銀色の刃先を宙にきらめかせたことだった。

それを見て、貫三たちがそのナイフを持つ手を取り押さえようと動いた。

やはり、ナイフに気付いた警官の一人が銃を抜こうと構えを見せる。

最初、麻里花は自分の目の前で何が起きているのかよく分かっていなかった。

なにこれ？　喧嘩《けんか》が始まるの？

麻里花は自分のライターを差し出した手と、男の背中を叩いた手とをぼんやり眺めていた。

しかし、麻里花は、ナイフを持った手がくるりと向きを変えこちらに向かうのを見た。

鈍く光るナイフは、スローモーションのようにゆっくりとこちらに向かってくる。

あれれ？　どうして？　なんであたしに？

その次の瞬間には、麻里花は腕をつかまれて引っ張られ、男の腕が首に巻き付いていることに気付いていた。それでも麻里花はぽかんとしていた。

視線を落とすと、光るナイフの先端が自分の喉《のど》を狙っているのを見た。

刃先は他人に向けちゃいけないって教わったんだけどなあ。

麻里花は恐る恐る顔を上げ、男の顔を見る。そして、彼女は男がこう言うのを聞いた。

どこかのTVドラマで聞いた台詞《せりふ》。彼の台詞は臨場感があって、感情がこもっていてとても上手だった。

感情の再現ができなくてはいけません。先生の言葉がまた脳裏をよぎる。

「おまえら、動くんじゃない。少しでも動いたら、このガキの命はないぞ」

69

「お客様のお呼び出しを申し上げます。お客様のお呼び出しを申し上げます。吾妻俊策様。吾妻俊策様。丸の内北口改札までお越しください。吾妻俊策様。田上様がお待ちです。丸の内北口改札までお越しください」

なめらかな声で地下通路に響くアナウンスを聞き流しながら、春奈と忠司たちはぞろぞろと連れ立って駅の中を歩き回っていた。学生三人と、大柄な白人男性プラス、妙齢のキャリアウーマンという五人は、傍目《はため》には結構奇妙な組み合わせだった。

「こんなに人がいっぱいいるのに見つかるかな」

忠司が、足早に行き交う人々を見ながらボソリと呟《つぶや》いた。

「とっとと帰っちまったんじゃないのか。もしくは、今ごろ薬を飲み込んだのを後悔して病院に飛び込んでるかもしれないぜ」

蒲谷も面倒くさくなったのか忠司に調子を合わせた。

先頭に立って歩いていた春奈とクミコが同時に振り返り、キッと二人を睨《にら》みつけたので、二人は反射的に背筋を伸ばした。二人につられてフィリップ・クレイヴンも姿勢を正す。

「だらしないわね、これしきのことでへこたれちゃ。ひと一人の命、ひいては幹事長の座が懸かってるのよ」

「そうよ。女の純情を踏みにじるなんて、最低の男だわ。さっきの男、常習犯ね。しかも、いとこに後始末させるなんてひどすぎる」

女性二人は、佳代子にすっかり肩入れしているようなのだった。

「でもさあ、実際問題として、東京駅って、めちゃめちゃ乗降者人数の多い駅じゃないか。

この中からたった一人を見つけだすのは不可能に近いよ。俺たちは今日中に幹事長を決めなくちゃならないんだぜ。学園祭の登録も迫ってるし。こんな他人《ひと》ごとに首を突っ込んでる暇なんか」

「いいえ」

蒲谷がぶつぶつ文句を言うのを、クミコがピシリと遮断した。

「見つけられます」

「え？」

三人の学生はきょとんとしてクミコの方を見た。蒲谷が控え目に尋ねる。

「見つけられるって――あの女の人を？」

「ええ。今日は湿度も高いし、雷雲も迫っている。なかなか調子がよいのです」

「調子って――なんの？」

恐る恐る忠司が尋ねると、クミコは長い黒髪を揺らして無表情にきっぱりと答えた。

「『気』を読むのにです」

「『気』？」

三人の学生は思わず唱和した。フィリップは『気』という言葉に反応する。彼は、クミコからよくその話を聞いていたのだ。

「シー・イズ『ミコサン』」

フィリップがそう言ってにっこり笑ったので、三人の学生は顔を見合わせた。

さすが、フィリップ・クレイヴン。日本ではちゃんとジャパニーズ・ホラーな女をチェックしている。そう考えたのは忠司である。

やっぱり、フィリップ・クレイヴン。スタッフに変人が多いというのは本当だわ。この女の人、まともそうだと思ってたのに、大丈夫かしら。そう考えたのは春奈である。

まさか、フィリップ・クレイヴン。次回の『ナイトメア』は、密室の外から『気』を送って殺人を完成させたなんてオチになるんじゃないだろうな。続編のパートが進むにつれて、ややトンデモ系に走ってるしなあ。そう考えたのは蒲谷だった。

「感じるわ」

クミコは自信に満ちた声で、正面を見つめた。

「恐らく、東京駅は彼女にとっては思い出の場所だったのね。彼女の情念や、心残りが漂っているのを感じるの。さっき駆け出していった彼女は激しい感情を発散していた。その情念が、ところどころに見えるのよ——大丈夫、きっと彼女を見つけられる。さ、行きましょ」

遠い目をする彼女を、三人の学生は「はあ」と戸惑った表情で眺めた。が、蒲谷がひらめいたように口を開いた。

「じゃあ、今のうちに賭《か》けておこう」

「え？」

今度はみんなが蒲谷の顔を見る。

「もし本当に彼女があの女の居場所を見つけてくれるんなら、それはそれで好都合だ。おまえら二人はその場所を前もって推理しておくんだ。実際にどちらかの予想した場所にあの女がいれば、その時点で正解者が幹事長」

「えーっ、そんな。二人とも違ってたら？」

「その時はまた考えるけど、なるべく近い方にする」

「そんな。推理っていったって、手掛かりが少なすぎるよ」

忠司が文句を言った。

「少ない手掛かりで全体像を作り上げるのが腕の見せ所だろ」

蒲谷は取り合わない。春奈が鼻を鳴らした。

「いいわよ。じゃあ、推理してみせようじゃないの」

そう言い切ると、つかのま考える表情になった。

「彼女は駅のホームのどこかのベンチに座ってるわ。きっとそこが彼との思い出の場所なのよ。デートの待ち合わせ場所だったのかもしれないわね。そこに座って、彼のことを考えているんだわ。あんなふうに喧嘩《けんか》別れしても、そう簡単に彼のことを忘れられるとは思わない。未練はあるはずよ」

「なるほど。忠司は？」

蒲谷は忠司を見た。忠司は少し迷ったが、やがて口を開いた。

「俺は、救護室か交番だと思う。確かにあの女はあの男に未練があった。でも、あの薬のことを考えてみろよ。激情に駆られて薬を飲み込んだはいいが、我に返って冷静になったらまず薬をなんとかしようと思うだろう。駅構内の医務室みたいなところか、交番か、トイレか。いずれにせよ、どこかの公共施設に飛び込んでると思うね」

「ふうん。よし、これで二人の推理は聞いた。あとは本当に見つかるか、だな」

蒲谷はそう懐疑的に呟いてから、慌てて口に手を当てたが、クミコは『気』を読むことに集中しているらしく、三人の会話など耳に入っていない様子である。

時折立ち止まり、ゆっくりと地面を見回しているところは堂に入ったもので、三人はいつのまにか疑う気持ちも忘れて彼女の行動を見守っていた。

「こっちだわ」

クミコは厳かに呟き、再び歩き出したが、少し進んでピタリと止まった。

後ろの四人も一緒に足を止める。

クミコがくるりと後ろを振り向き、奇妙な目付きでフィリップを見た。

フィリップはぎくりとする。

「フィリップ、あなた何か心配事があるのではなくて？」

「え？」

「なんだか、あなたの周りにまとわりついている小さな『気』が私の行く手を邪魔しているようなの——何かしら、小動物のようなもの。キツネじゃないし、タヌキでもないし」

クミコはフィリップの全身をジロリと見回した。

フィリップは緊張して背筋が伸びてしまう。ダリオのことを言っているのだろうか？——彼はペットの件を言ってしまおうかと思ったが、クミコの能面のような表情を見ていると何も言えなくなってしまう。

「あ、待って」

クミコは眉間《みけん》に皺《しわ》を寄せ、スッと手を挙げた。自分の前にてのひらをかざし、じっと目を閉じて何かを感じ取ろうとしている。他の四人は固唾《かたず》を飲んでそんな彼女を見つめていた。

通行人も、怪訝《けげん》そうな顔をして手を挙げている彼女をチラチラ見ている。

「また、彼女の情念が強まったような気がする。きっと、彼のことを考えているのね。彼女、たぶん、泣いてるわ——」

クミコはすうっとてのひらを動かし、いろいろな方向に向かっててのひらをかざしている。

が、ある位置でピタリと手が止まった。

「こっちだわ」

クミコは目を開け、唐突にスタスタと歩き出した。他の四人は、金魚のフンのように慌ててその後ろに付いていく。

70

浅田佳代子はふらふらと歩いていた。どこをどう歩いているのかなんて、全く考えていなかった。ひっそりと一人で泣きながら歩いている女のことなど、誰も意に介さなかった。佳代子が泣いていることにも、誰も注意を払わなかった。

佳代子は怒りと屈辱と悲しみとが交互に波のように押し寄せてくるのに、揉《も》みくちゃにされるがままになっていた。正博や、あのいとこだと名乗る美しい女や、自分を押さえた学生たちの顔がぐるぐる脳裏を駆け巡っている。

悔しい。悔しい。みんなしてあたしのことを馬鹿にしてるんだ。あたしを嘲笑《あざわら》い、おかしな女だと囁《ささや》きあってるに違いない。

佳代子はあまりにも惨めな状況に、思考能力が麻痺《まひ》してしまっていた。自分の置かれた状況を考えることを心が拒絶していたのだ。

何かにぶつかったと思ったら、結婚式場案内所のピンク色の看板だった。佳代子は腹立ち紛れに看板を蹴飛《けと》ばした。が、看板は見た目はポップだったが非常に丈夫だった。佳代子は悪態をつき、痛む足をひきずりながら、彷徨《ほうこう》を続けていた。

71

「えー、お客様のお呼び出しを申し上げます。お呼び出しを申し上げます。吾妻俊策様。吾妻俊策様。丸の内北口改札までお越しくださいませ。田上様がお待ちです。吾妻俊策様、丸の内北口改札でお連れ様がお待ちです。丸の内北口改札までお越しください」

繰り返されるアナウンスの声が当惑気味なのは、横で優子が係員をせっついているせいであり、そのアナウンスの内容に真っ先に気付いたのは、雫石ら警視庁ＯＢであった。

丸の内南口コンコースは、あの奇跡のような一瞬を経て、今や異様な緊張感に包まれていた。

雨は時折強く降り、コンコースの外のアスファルトを叩《たた》いているが、それを取り囲む警官たちは凍り付いたように動きを止め、中の様子を見つめている。通行人たちも息を飲んでコンコースの隅に避難しているし、改札の奥にいた人々も、突如目の前で起きた出来事に面食らって成り行きを見守っているのだった。

雫石は、自分が今のアナウンスの内容に反応したことを、目の前で少女を人質に取っている過激派の連中に気取られないよう、とっさに無反応を装った。また、雫石よりも少し後方にいた白鳥たちは、そっと吾妻俊策を隠すようにコンコースの外の壁に身を潜めた。川添健太郎に、俊策の存在を気付かれてはならない。彼らは瞬時にそう判断したのである。俊策本人は自分の名前が呼ばれていることなど全く気付いていない様子で、突然起きた目の前の出来事にすっかり目を奪われていた。

「吾妻さん、今の放送を聞きましたか？」

そっと白鳥が囁くと、俊策は我に返ったように白鳥の顔を見た。

「え？」

「さっきの女の子も、あなたを捜していたようです。丸の内北口で待っているとアナウンスがありました。早急に取りに行きましょう。いいですか、あなたが川添健太郎に見つかるとまずい。奴はあなたが奴の爆弾を持っていると思っている。なるべく姿を隠していてください。それに、さっきの女の子にあの袋の中身を知られるのも困る。ただの間違いで通して、彼女には何も気付かれないように紙袋を取り戻してください」

白鳥が淡々と説明すると、俊策は些《いささ》か緊張した面持ちで小さく頷《うなず》いたが、困ったような顔で口を開いた。

「でも、あのお嬢さんの荷物はどうしましょう」

二人は、コンコースで仁王立ちになり固まっている雫石に目をやった。田上優子のものであるお菓子の包みとグアムのパンフレットは、いまだ彼の腕の中なのである。しかし、彼があの荷物を渡しにここまで移動してくることは不可能であった。

「仕方ない。とにかく今はあの紙袋を取り戻すことが先決です。事情を話して待ってもらいましょう。じゃ、行きますよ」

二人はこっそりとその場を離れようとした。が、その瞬間、ワッという悲鳴がコンコースに響いたのでぎょっとして振り返った。

72

麻里花は自分の身に起きたことがよく飲み込めていなかった。

なんだか、まだオーディションの続きをやっているような気分だった。誰かがパンパンと手を叩きながら出てきて、もう一度最初からやり直し、と言うような気がした。

だが、周りで凍り付いている警官たちの青ざめた顔を見ているうちに、なんだかこれって本当のことみたい、とじわじわ身体のどこかで考え始めていることに気付いた。

これって、これって、とってもまずいんじゃないの？

少しずつ、心のどこかに焦りと不安が膨らんでくる。全身にどす黒い嫌な気持ちが押し寄せてくる。

これって、あたしが『ゆうかい』されたってことだよね？　いや、『ゆうかい』は身代金を要求する方だ。これは、なんだっけ？　この人たち、悪者なの？

麻里花は、最近見た刑事ドラマの内容を必死に思い浮かべていた。

これは『ひとじち』だ。

麻里花はその言葉が出てきたことにホッとしていた。

あたし、『ひとじち』なんだ。

麻里花は周りにいる大人たちをそっと見回した。みんな、怖い顔をしてこちらに注目している。

徐々に恐怖が込み上げてきたものの、それでも麻里花はまだ実感が湧かなかった。

その天井の高いコンコースは、どことなく劇場に似ていた。実際に、ここでコンサートが開かれていることを麻里花は知らなかったが、そのドーム状の空間が舞台のように思えたのである。

あたし、主役だ。注目されてる。お客さんの入った関東劇場って、こんな感じなのかな。

彼女はまだそんなのんきなことすら考えていた。

が、彼女を見ていた周囲の目が「あっ」と叫ぶように動いたのを見た瞬間、後ろからどんと誰かが体当たりしてきたのを感じた。

麻里花も、麻里花にナイフを突き付けていた男もぎょっとしたが、「こいつ！」という怒鳴り声とすぐ後ろで揉み合う音がして、玲菜の呻《うめ》き声がしたので、玲菜が男に体当たりしたのだと気付いた。遠巻きにしていた警官たちが一瞬ほどけて動き出そうとしたが、すぐにまた凍り付いた。

そっと後ろを見ると、別の男につかまえられた玲菜が手足をバタバタさせている。

麻里花はこの状況で体当たりをしてきた玲菜の勇気に感心したが、その一方で「ちぇっ、あたし一人が主役だったのに」と残念に思う気持ちと、舞台の上で一人ぼっちでなくなって安堵《あんど》した気持ちとが同時に湧いてきたので変な気分だった。

再びこの舞台は静寂に包まれた。が、すぐにそれは破られることとなる。

「玲菜ちゃん？　玲菜？　キャーッ、玲菜っ！」

コンコースに金切り声が響き、麻里花は振り返る前にそれが玲菜の母親の声であることを察していた。そして、明子の顔が脳裏をよぎり、今夜お寿司《すし》食べられるのかな、と反射的に考えていたのだった。

73

窓の外を激しい雨が叩いている。

それまで窓の向こうに見えていたオフィス街の景色が、たちまち歪《ゆが》んだ風景に変わっていった。雨音は徐々に激しくなり、時間を切断するような稲光が世界を白くする。

しかし、北条和美は一心不乱にパソコンの画面に向かっていた。オンラインでの作業時間はもうすぐ終わりを告げようとしている。契約入力をしている今にも切られてしまうかもしれない。本社の方でも、支社でパソコンを使っていることは分かるはずだが、みんなが使い終わるのを待っているといつまでもオンラインを落とすことができないので、時々強制終了を掛けてしまうことがあるのだ。

支社の中では、もう疲労感のようなものが漂っている。みんながぼんやりと窓の外を眺め、激しい気象の変化を子供のように見守っている。

よし、入力は終わった。あとはきちんと送信されるかだけが――

ほんの少し安堵した瞬間、視界が真っ白になった。

激しい稲光。

一瞬停電したのが分かった。

画面がプツリと真っ暗になった。

え？

心臓がどきんとして、和美は思わず身を乗り出して画面に見入る。

長すぎるようにも思えた沈黙のあとで、ががらがらぴっしゃーんという凄《すさ》まじい落雷が聞こえ、地響きが轟《とどろ》いた。オフィスのあちこちで悲鳴が上がる。

「きゃーっ」

「近いぞ」

「落ちたな」

和美は周囲のざわめきなど耳に入らなかった。目の前には、信じられない黒い画面がある。恐るべき沈黙ののち、その真っ暗な画面にプップッと線が走り、次に出たのはシステムがダウンしたことを告げる画面一杯のエラー表示だった。

「ばかやろーっ、ふざけんじゃねー、この役立たずっ」

和美は世にも恐ろしい形相でその表示に向かって罵倒《ばとう》した。

74

「お客様のお呼び出しを申し上げます。お客様のお呼び出しを申し上げます。浅田佳代子様。浅田佳代子様——わ、ちょっと、お客さん、困ります。ここに入っちゃ——あっ、マイクを——やめてくだ」

突然、きいんという耳障りな音がして、放送の中で悲鳴が上がった。

通行人たちはきょとんとした顔になり、足を止めて放送に聞き入る。

すると、突然、若い男の声が流れ出した。

「佳代子？　佳代子、聞いてるんだろ？　まだ近くにいるんだろう？　僕が悪かった、許してくれ。そこまで君が思い詰めてるとは思わなかったんだ。さぞかし傷ついただろう。さぞかし僕のことを恨んでいるだろうね。君の気持ちを思うと、胸が張り裂けそうだ。ああ、なんて僕はひどい男なんだろう（深い溜《た》め息）。でも、でもね佳代子、僕だって悪気があったわけじゃないんだ。本当に、君のためを思って身を引こうと思ったんだよ——粗野な僕にとっては、上品で教養のある君が怖かったんだ。いつか僕の背伸びがばれて、僕から去っていくんじゃないかって（涙ぐむ気配）」

ざわざわと通行人たちが顔を見合わせ始めた。

若い男の声は、最初はおっかなびっくりだったが、そのうちに慣れてきたのかだんだんリズミカルになってきた。声に張りがあり、なかなか魅力的な声でもある。

女性の中には、顔を赤らめ指を組んで聞き入る者もいる。

誰もが好奇心も露《あらわ》に、放送に耳を傾け始めた。

「戻ってきてくれよ——もう一度話がしたいんだ。こんなふうに別れるのは嫌だ。誤解を、わだかまりを解いて、すっきりしたい。互いの思いが擦れ違ってたことを確かめたいんだ。聞いてくれ、僕たち、こんなんじゃなかった。もっとお互いを思いやって、素晴らしい時間を過ごしたはずだ。ああ、あの美しい日々が懐かしい。イエスタディ・ワンス・モア。覚えてるだろ？　僕たちってこんなに違うのに、どうしてこんなに一緒にいて楽しいんだろうって、笑ったよね。ああ、思い出した。二回目に会った時のことだ。二人で丸の内を歩いて、日本の将来について話し合ったじゃないか。そうしたら君がコンタクト・レンズを落として、二人で一緒に探したね。あの場所！　そうだ、思い出のあの場所で待ってるよ。必ず戻ってきてくれ。僕を信じて。ぼ」

そこで男の声はぷっつりと切れ、マイクががちゃがちゃ言う音と誰かの言い争う声が聞こえてきた。どうやらマイクを奪い合っているらしい。

「いい加減にしてください、困りますよ、これは個人放送じゃないんだから」

「いいじゃないか、人助けだと思って。佳代子、佳代子、聞こえるかーい？（潤んだ声）」

男の声が大きくなったり小さくなったり。

「お客さーん」

「全く、警察呼びますよっ」

当惑した駅員の声がそのまま放送されている。

75

美江はあきれるのを通り越して白けていた。

なーにがイエスタディ・ワンス・モアよ。なーにが日本の将来よ。あんたに将来を心配してもらうなんて、随分日本もおちぶれたもんだわ。

直接、彼女の情に訴えなさいとはアドバイスしたが、それにしてもよくもまあ、あんな歯の浮くような台詞《せりふ》を言えるものだ。最初はおどおどしていて、二度と佳代子に近付きたくない様子だったくせに、マイクを握るとこうだもの。喋《しゃべ》っているうちに、どうやらだんだんその気になってきたようなのだ。

こいつ、虚言癖があるんじゃないかしら。要するに、単なる目立ちたがりってこと？

正博はうっとりした表情でマイクに語りかけていた。完全に自己陶酔モードに入っている。『誤解している恋人に真情を訴えかけ呼び戻す男』という役柄に酔っているのである。この極度な思い込みと自己演出が（つまりハッタリだが）、正博という男の長所であり短所であることを、美江はまざまざと見せつけられたような気がした。

もう、こいつとつきあうのやめようかしら。

美江は放送室から引き摺《ず》りだそうと格闘するＪＲの職員たちを眺めながら、疲れた気分で考えていた。

手には正博から「ちょっと持ってて」と預かった、佳代子のものである『どらや』の紙袋をぶらぶらと揺らしている。

全く、なんであたしがこんなことに巻き込まれなきゃならないのよ。

美江はすっかり不貞腐《ふてくさ》れ、腹立ち紛れに紙袋をちょんと突っついた。

76

「うわー、大胆」

「すげえ恥ずかしい」

「よくこういうことしゃあしゃあと言えるよなあ」

「こういうことを言える奴だから、あんなトラブルになるのよ」

正博の陶酔に満ちた放送を聞きながら、春奈たちはぶうぶう文句を言った。

「しっ。静かに」

が、クミコの叱責《しっせき》に一同、黙り込む。彼女には正博の声も聞こえていないらしい。

「こっちだわ」

クミコは相変わらず集中したまますると一行を導いていく。

「あれ？」

クミコが歩いていく方向を見て、他の四人は首をかしげた。

いつのまにか一行は八重洲方面に出ていた。クミコはバッグの中から折り畳みの傘を取り出す。どうやら外に出るつもりらしい。雨は断続的に降り続いている。みんなは最初外に出ることをためらっていたが、あきらめ顔で次々と傘をさした。

「どこに行くんだろ？」

「これじゃあ銀座方向じゃない？」

ひそひそと言葉を交わすが、正面からクミコにそのことを尋ねる者はいなかった。

が、クミコはすぐに道路を折れ、再び東京駅の輪郭をなぞるように丸の内方向に進み始めた。

「丸の内側に行くのかしら」

ガード下をくぐりながら、春奈が呟《つぶや》く。クミコは全く上半身を動かさずに、魅入られたように歩いて行く。さすがに、三人はだんだん気味が悪くなってきた。

「この人、本当に大丈夫なのかな？」

「ひょっとして、このまずっと一日中、あちこち連れ回されたりして」

「フィリップ・クレイヴンに聞いてみれば？」

「なんて聞くんだよ」

学生三人はぼそぼそと囁《ささや》きあう。フィリップ・クレイヴンはと言えば、結構楽しそうにクミコのあとをついて行く。

「駄目だ、こりゃ」

学生たちは溜め息をついた。

「でも、駅から外に出たってことは、俺の方が望みがあるってことだな」

忠司が余裕を覗《のぞ》かせてチラッと春奈を見た。春奈はカチンと来たような顔になった。

「あら、まだそんなことは分からないわよ。これからまた駅に戻るのかもしれないし」

二人はしぶとく競争意識を滲《にじ》ませる。

クミコは後ろの雑音にはお構いなしに、再び右に曲がった。黄色いはとバスが停まっているのが見える。

「ほら、やっぱりまた丸の内側の入口に戻ってきたのよ」

春奈がホッとしたような声で言った。

「ふりだしに戻る、だな」

蒲谷がうんざりしたような口調で呟く。

「ねえ、なんだか騒がしくない？」

春奈が耳を澄ませた。

「そう言われてみれば――げっ、なんだ、すげえパトカーがいっぱい」

「何かあったのかしら」

「しいっ」

大声を上げた学生たちをクミコが一喝した。三人はたちまちしゅんとする。

「――近いわ」

クミコは切れ長の目を動かして、ゆっくりと辺りを見回した。だが、他の四人にはどこに何が近いのかさっぱり見当がつかない。暫《しばら》く気まずい沈黙が降りた。雨が降る街角に、こうして五人で立っているとちょっと間抜けだ。

クミコは、さっき見せたようにてのひらを上げてすうっとあちこちに動かした。太極拳をやっているように見えないこともない。

が、やはりピタリと一か所で止まった。四人の視線もクミコの手に吸い寄せられる。

「この辺りね」

クミコは左手にある建物に視線を合わせ、そっと見上げた。

他の四人はクミコの視線のあとをなぞり、見上げる。

そこにあるのは、東京中央郵便局である。

77

支社の電話が激しく鳴り始めた。オンラインが落ちたので、各種業務をしていた支部から問い合わせの電話が入っているのだ。

「北条さーん、相模原本社の契約課から電話です。これから復旧するので、ダウン時に入力していたものをもう一度入れ直すようにって」

「時間の延長は?」

和美は鋭い声で聞いた。システムがダウンした時に、全国で入力していた件数は相当なものだろう。システムの作動時間を延長するはずだ。

「三十分延長するそうです」

「よしっ」

和美は小さくガッツポーズを作った。チラリと時計に目をやる。これで入力は間違いない。問題は契約便だ。

78

田上優子はじりじりしながら吾妻俊策が現れるのを待っていた。

やっぱり、彼はもう東京駅にはいないのだろうか。あたしのお菓子はどうなってしまったのだろうか。まさかあの親父たちが食べちゃったんじゃ。

あの親父たちが優子の大好物を食べているところを想像すると、悔しくてたまらない。ああ、せっかくのラッキーだったのに。一度手に入れていたものをむざむざ放してしまったことが残念でならないのだ。それと同時に、やけに空腹を感じた。さっきからやたらと動き回っているのだから無理もないが。

と、視界の隅に、見覚えのあるひょろりとした細い影が飛び込んできた。

優子はどきんとした。

吾妻俊策だ！　しかも友人と一緒だ。やった！　やっぱりまだ近くにいたのだ。あたしの頼んだ放送を聞いてくれたのだ！

優子は嬉《うれ》しくなって、手を振った。が、一抹の不安が頭をかすめた。彼らは手ぶらだったのである。

あれ？　あたしのお菓子は？

「ああ、申し訳ございません、わざわざあんな放送までしていただいて」

優子の姿を認めて、俊策が少し離れたところで深々と頭を下げた。

「そんな、いいんですよ、あたしが気付かなかっただけなんですもの」

優子は不安を押し殺して明るい笑顔を見せた。

あたしのお菓子は？

奇妙な間があった。優子は、二人がなぜか優子の提げている『どらや』の紙袋を見ているような気がした。

「お嬢さん、それは、あの時拾われたものですよね？　良かったら、ちょっと見せていただけますか？　なんでしたら、こちらで処分しますが」

俊策の連れが、さりげない口調で優子の持っている紙袋を指さした。

「え？　あ、はい、これですよね？　助かります。あの男のものですよね。困ってたんですよ、捨てるわけにもいかないし。捨てようと思ってもなかなかゴミ箱はないし」

優子はにっこりと営業用のスマイルをサービスし、紙袋を俊策に手渡そうとした。すると、サッと横から連れの男の手が伸びて袋を取り上げたので、かすかな違和感を覚える。

「ええ、これです、これです」

俊策が安堵《あんど》したような、奇妙な表情で頷いた。

連れの男はなぜか紙袋をそっと脇に抱えた。

そんなに大事なものだったのか。汚い紙袋だとか、捨てちゃえなんて考えて悪かったな。

優子はちょっぴり反省した。

「あのう、ところで、私の荷物は？」

優子は一番気になっていたことを恐る恐る尋ねた。

二人は決まり悪そうに顔を見合わせる。

「実はちょっと、不測の事態がございまして」

俊策の連れが申し訳なさそうな声を出す。

「不測の事態？」

優子は耳慣れない言葉にきょとんとする。

79

佳代子はふらふらと駅の構内を歩いていた。

しかし、さっきとは違って、今度は抑え切れない興奮と歓喜の表情を浮かべている。

あの、正博の放送を聞いたのだ。

彼の声なら、受話器を取った瞬間に分かる。感情に押し流され、自分を失っていたのに、身体が瞬時に反応した。

正博だ！　彼の声を聞き、佳代子は心が動かされるのを感じた。

しかも、彼の放送の内容は彼女にとっては願ってもない、待ち望んだ言葉のオンパレードだった。徐々に心はバラ色に染め変えられ、佳代子はどきどきしながらその言葉を胸に刻みこんだ。

また、こんなわざとらしいことばかり言うんだから。ほんとに口がうまいのね。いつもそうだった。あの熱意のこもった、心地好い文句を聞くとなんでも許しちゃうんだから。あの真剣な目を見てしまうと、どうでもよくなってしまう。ちょっと待って佳代子、また過ちを繰り返す気なの？　こんな見え透いたリップサービスに騙《だま》されちゃ駄目よ。

心の中ではそう自分に警告する声が聞こえてくる。

しかし、一方では、彼の言葉にもろ手を上げて飛び付きたい自分がいる。

あの正博が、こんな大勢の人間がいるところでこんな放送をしてくれたのだ！　やはり彼を信じてあげるべきではないだろうか？　人前で、JRの係員を押し退けて自分の言葉を放送する勇気がある男なんてなかなかいないではないか？　佳代子はうっとりしながら、正博の言葉の一つ一つを心の中で繰り返す。

そう、あたしたちは、あの日、日本の将来を語ったわ。二回目のデート。ちょうど補正予算が審議されてるところだったから。

佳代子は国会中継オタクであった。国会中継は全て録画し、詳細なメモを作りながら見るのである。なんて素敵な趣味なんだ、アンビリバボー、と正博が驚嘆したのを心地好く思い出す。

そう、夢中になって消費税の用途について話し合っていたら、何かに躓《つまず》いて転んでしまったんだったわ。それで、彼と会うために新調した、慣れないコンタクト・レンズが目から外れて落ちてしまったの。あたし、やたらと瞬《まばた》きばかりしていたものだから。

彼は一生懸命レンズを探してくれた。探してる途中で手が触れ合ったりしたっけ。

佳代子はうっとりしながらふらふらと歩いていた。

あの場所へ行かなくちゃ。二人の思い出の場所へ。

彼女は舞い上がるあまり、自分が薬を飲んだことをすっかり失念してしまっていた。

「玲菜、まさか玲菜が殺されてしまうなんてことはないでしょうね？　絶対助け出してくれるんでしょうね？　一人娘なんです、なんて警察は無能なのっ。あんな小さな女の子一人助けられないなんて。あたし、訴えます。訴えてやります。あたし、マスコミの偉い人をいっぱい知ってるんですから」

「お母さん、落ち着いてください。こう言ってはなんですが、奴らはプロです。カッとなって子供を傷つけるなんてことはしないはずです。奴らには別の目的があるんです。そのうちに交換条件を出してくるでしょう。ここはじっと我慢して待っていただくしかありません。我々を信じてください」

急に怒ったり泣き出したりする玲菜の母親をなだめるのに、警官たちは苦労していた。

警視庁からの応援は続々とやってきた。機動隊が、銀色の盾をコンコースの周りに並べている。南口の改札は封鎖され、奥には縄が渡され、見張りの警官が立った。

80

丸の内南口のコンコースには、ガラス張りの小さな喫茶店がある。カウンターで一人客が中心の、入れ替わりの激しい喫茶店だ。

二人の子供を人質にした過激派たちはその喫茶店にいた客とスタッフを追い出し、その中に立てこもったのである。カウンターの内側に陣取ったらしく、外からその姿は見えない。コンコースは重苦しいムードに包まれていた。

「ああっ。玲菜。玲菜。なんでこんなことにっ。かわいそうに、どうしてうちの娘がこんな目に遭うの」

玲菜の母親は、今度はさめざめと泣き始めた。先程、悲鳴を上げてこのコンコースに現れた時から、この繰り返しなのである。最初は丁寧につきあっていた警官たちも、徐々につきあいきれないという表情に変わってきた。

玲菜の母親の隣で、凍り付いたようにぴくりとも動かない女の姿がある。

明子である。むしろ、警官たちは何も反応しない明子の方を心配しているようだった。

明子は自分の目の前で起きた出来事を受け入れることを拒絶していた。

そんな馬鹿な。こんなことが信じられるだろうか？　ほんの少し前まで、そう、ほんの三十分前には最高の気分だったのだ。麻里花がオーディションに受かり、パパに報告して、友達に電話して、こんなに気分のいいことは久しぶりだった。

あたしがスキップなんかしたばっかりに。

さっきから、明子はそのことばかり繰り返し考えているのだった。

馬鹿みたいに、スキップなんかしたから、こんなことになったんだ。ヒールが折れて、東京駅まで来ようなんて考えなければ、麻里花がこんな目に遭うことはなかったんだ。

あたしのせいだ、あたしの。

明子の頭の中にはガンガンとその言葉が鳴り響いていた。

あたしのスキップのせいで、麻里花が。

麻里花の首にナイフが突き付けられているのを目にした瞬間の、地面が沈みこみ、ぐらりと自分の住む世界が揺らいでしまったような衝撃が身体から抜けていかない。

明子はずっとその瞬間の中に捕らえられたままなのだ。

嘘よね、誰か嘘だと言って。警官に囲まれた、あの狭いカウンターの向こう側にいるのはうちの娘じゃないと言って。

「大丈夫ですか、奥さん。何か飲み物でも」

明子のぼんやりと焦点の合っていない目を見て、警官が心配して声を掛けた。

その声に、玲菜の母親がキッと振り返る。

「お、お宅の麻里花ちゃんのせいよ。麻里花ちゃんが、うちの玲菜を誘い出して、こんなところまで来たから、うちの玲菜が。うちの娘の役を取ったかと思えばこんな嫌がらせまで」

玲菜の母親は、ひたすら責任転嫁先を探していた。その矛先は明子と麻里花に向けられていた。長電話をして、娘をさんざん待たせていたこと、繰り返し電話で相手を口汚なく罵《ののし》って娘を辟易《へきえき》させていたことなどは、これっぽっちも眼中にない。

明子は玲菜の母親の凄《すさ》まじい剣幕にも反応せず、ぼんやりと宙を見つめていた。

そう、せっかく役を取れたのに。麻里花、あんなに頑張ったのに。あんなに喜んでいたのに。あたしがスキップなんかしたせいで。

明子の目にじわりと涙が浮かんだ。

ひょっとして、これまでも麻里花の運はあたしが吸い取っていたんじゃないかしら。頑張れ頑張れって麻里花のお尻《しり》を叩《たた》いてたけど、あたしの態度がまずいせいで麻里花はオーディションで実力を発揮できなかったんじゃないかしら。

考えれば考えるほど、暗い袋小路へと陥っていく。

あの子、絶対に正面からあたしのことを非難したりはしなかったよね。もう嫌だ、とか、やめたい、とか、弱音も吐かなかったよね。むしろ、落ちる度にがっかりしてたのはあたしなんだ。どうでもいいよ、とか、たいしたことないよ、とか言ったけど、あたしが誰よりもがっかりしてたのは麻里花もよく分かってたんだ。でも、落ちて一番傷つくのは麻里花なんだ。あんなに何度も落ちて、傷ついてないはずがない。でも、麻里花はあたしが喜ぶだろうと思って、週末毎にTVもゲームも我慢して、何度もあきらめずにオーディションに通ってたんだ。

「なんとかしてよっ。あんたの子のせいなんだから、あんたが連れ戻してきてよっ」

玲菜の母親は唾《つば》を飛ばし、明子に詰め寄った。

警官たちが慌てて明子から彼女を引き離そうとするが、かなりふくよかな身体つきである上に興奮しているのでなかなか離れない。若い警官が二人がかりでなんとか引き離したのはいいものの、もろにひっくり返った彼女の下敷きになった。

明子はかすかに表情を歪《ゆが》めた。

両手で顔を覆い、静かに肩を震わせて泣き始める。

警官たちも、そのあまりの痛々しい様子に、声を掛けることができなかった。

81

麻里花と玲菜は、カウンターの後ろの隅っこで膝《ひざ》を抱えてうずくまっていた。

そこでじっとしていろと命令されたのである。

男たちは、三人で顔を突き合わせてボソボソと相談していた。かなり真剣に話に熱中しているので、麻里花たちがこそこそ話をしても聞こえないようだった。

「大丈夫？　玲菜ちゃん」

「うん、大丈夫だよ」

「こっそり逃げればよかったのに。そうすれば玲菜ちゃんが『ひとじち』になることもなかったのに」

「でも、あの時、麻里花ちゃんを置いていくことなんかできなかったよ」

「ごめんね。あたしがライターを渡そうなんて思わなきゃよかった」

「ううん。だって、あたしが麻里花ちゃんに、『ライター渡してあげれば』なんて言ったんだもん」

二人は自分たちが落ち着いていることを感じていた。

大丈夫。あたしたちなら大丈夫。

不思議と、根拠のない自信と連帯感が湧いてくる。

「それにね」

玲菜はふわりと笑った。

「せっかくこんな目立つチャンスなのに、麻里花ちゃんに取られるわけにはいかないって思ったの」

麻里花は小さく笑い返した。

「やっぱりね。あたしも、ちぇっ、あたしが主役だったのにってちょっと思った」

二人は目を合わせ、互いの中に信頼を見た。

うん。あたしたちだって、いつも戦ってるんだもの。負けないよね。

「でも、どうする？　なんだか凄《すご》いことになっちゃったよ。今日中に帰れるかなあ」

麻里花は少し背伸びして、カウンターの外の様子を窺《うかが》おうとしたが、コンコースの壁が目に入るだけで何も見えない。

「あんなに警官がいるってことは、なかなかこの人たちも外には出られないよね。警官がここを攻撃してこないのはあたしたちがいるからでしょ。だから、この人たちも、ここから逃げ出すにはあたしたちを傷つけるわけにはいかないはず」

玲菜は淡々と呟《つぶや》いた。

麻里花は、改めて玲菜の度胸と冷静さに感心した。

「どうやって出ていくんだろう。さっき見ただけでもいっぱいおまわりさんがいたよ。さっきよりも人が増えてるし、なかなか出ていくのは大変だよね。嫌だなあ、ずうっとこんなところにいるの」

パパは、このことをもう聞いただろうか。どんなにびっくりするだろう。ついさっきまで、大喜びで家に帰る準備をしていたはずなのに。

麻里花は、しつこくお寿司《すし》のことを念頭に置いていた。

玲菜はじっと足元の床を見つめて何ごとか考えこんでいた。

「麻里花ちゃん」

玲菜は真剣な表情で麻里花の顔を見た。

「あたしたち、小さくてもプロの役者なんだよ」

「うん、そうだけど?」

麻里花は玲菜の言葉の真意を測りかねた。

「いい、これからあたしたちはお芝居をするんだよ。大人たちが信じるような、よくできたお芝居。麻里花ちゃん、やってくれるよね？」

麻里花は玲菜の決意に満ちた黒い瞳《ひとみ》に、思わず反射的に頷《うなず》いていた。

82

『テレビ朝田』と大きく赤い文字の書かれた白いバンがゆっくりと通りを進んできて、人通りの少ない東京中央郵便局の線路側に面した歩道に横付けした。

重い音を立ててドアがスライドして開けられ、中からバラバラとポロシャツやTシャツの上に雨合羽《あまがっぱ》を着たスタッフが飛び出してくる。雨はかなり弱まっていたが、アスファルトの窪《くぼ》みの水溜《た》まりに足を突っ込み、舌打ちをする音が響く。彼らの動きは機敏で、それぞれの手にはカメラや照明、集音マイクが握られている。

「まだこの辺りは静かですね」

「よそはまだ来てないな」

「確かなんだろうな、東京駅で男が人質を取って立てこもっているというのは」

白いものの混じった長めの髪を撫《な》でつけ、スタッフの差し出す鏡でネクタイを直しながら、初老のキャスターが若いスタッフをジロリと睨《にら》んだ。TVの報道番組でレギュラーを持っている御馴染《なじ》みの顔、宮越信一郎《みやこししんいちろう》である。若い女性スタッフが、彼の顔の動きに合わせて移動しながら、器用にファンデーションをはたく。

「複数の情報だから確かだと思うんですが」

不安になったのか、睨まれた髭面《ひげづら》のスタッフは反射的に首をすくめる。

「あ、見ろよ、あっちだ。凄いパトカー」

「ほんとだ」

半ばホッとしたような叫びがスタッフの間に漏れると、信一郎はたちまち背筋をしゃんとさせ、営業用の顔になった。

「よし、行くぞ。カメラ回せ」

宮越はワイシャツの袖《そで》をまくり、マイクを握って足早に進みでた。慌ててスタッフが後ろについていく。宮越は口の中でブツブツと何事かを呟いている。頭の中で喋《しゃべ》る内容の予行演習をしているのだ。

宮越は足早に進み、険しい顔でカメラを振り返ると、第一声を放った。

「私は今、東京駅に来ています。数人の男が、通行人を人質にして立てこもっている現場であります」

現場の前で立ち止まっているよりも、この方が臨場感が出るという彼なりの演出である。

TVの画面の右半分を彼の顔が占め、残りにパトカーのランプが入る計算だ。

「ほんの少し前まで、スコールのような激しい雨が降っていました。ヒートアイランド現象に伴い、東京都心では、最近このような熱帯型の集中豪雨に見舞われる機会が増え、思わぬ被害が広がっています。改めて、都市計画など根本的な治水対策を見直す必要に迫られているのです」

宮越はちょっと言葉を切った。一見関係なさそうな導入。その意外性で視聴者をつかむのだ。

「そして、今、また東京に新たな危機管理が求められようとしているのです」

宮越は深刻そうな顔に一層力を込めた。ただでさえ皺《しわ》だらけの額にくっきりと溝が刻みこまれ、細い目がどこにあるのか分からなくなる。

「平日の夕方の東京駅です。ここは、日本経済を支える都民、いや首都圏の大動脈であります。その大動脈を突然の悪意が襲ったのであります。御覧ください、ただいま丸の内南口の改札は封鎖され、警官隊がぐるりと周囲を取り囲んでおります。事件発生から既に一時間近く経過しているようですが、警官隊と犯人は睨み合いを続けております。日本にもアメリカのSWATのような強行突破のできる部隊を作るべきだという意見は以前からありましたし、その原型を作る準備を進めている最中だそうですが、現に今、こうして一般市民を巻き込む事件が起きてしまっているのです。日々身近な場所で発生し凶悪化が進むこんにちの犯罪に対処するためには、実戦に即した一刻も早い対策が必要なのです」

口調に重々しさを込め、じっとカメラを注視する。

と、画面の中、彼の後ろをぞろぞろと通り過ぎる一団がある。

スタッフがぎょっとしたような顔になったので、宮越は後ろを振り向いた。

若い男女が五人。そのうち一人は大柄な白人男性である。五人は宮越らTVクルーが中継をしていることに全く気付いていないらしい。口々に何事か叫んでいる。

「ねえ、この東京中央郵便局がどうかしたの？」

「ここに彼女がいるわけ？」

「見当たらないよ」

「このうじゃうじゃいる警官はなんなんだろうね」

「要人警護かなんか？　今誰か来てんのかな」

宮越はいろいろと立つ向きを変えて、パトカーと警官の集団を画面に収めようとするのだが、のんびり顔を見合わせている五人がどうしても入ってしまう。

「おい、君たち、今僕たちは中継をしているんだ、そこをよけてくれないか」

痺《しび》れを切らした宮越が仁王立ちになって声を掛けると、ようやく彼らはクルーの存在に気が付いた。たちまち歓声を上げて宮越を取り囲む。画面いっぱいにぎゅうっと、宮越と彼らの顔がアップになった。

「宮越信一郎だ！」

「本物だわ。思ったよりも小柄ねー」

「TVとそっくり。当たり前か」

「フィリップ、ヒーイズフェイマスTVアンカー」

「ハジメーマシテーナイトメアフォーヨロシクー」

「頼むからカメラの後ろに行ってくれー」

カメラマンが悲鳴を上げ、宮越に握手を求める学生たちとスタッフが揉《も》み合いになる。

「静かに！　気が散る！」

今時珍しい黒のロングヘアの女性が一喝したので、みんながピタリと黙った。

クミコは道路の真ん中にじっと立って、目を閉じて意識を集中させる。

カメラマンは泣きそうになった。どこにカメラを向けても、腕組みをする彼女が真ん中に収まってしまうのである。

「あのう、お嬢さん、お願いですから、もうちょっとはじっこの方に行っていただけま」

「ええい！　うるさい！　気が散ると言ってるのに」

あまりの迫力に、クルーもたじたじとなり、カメラマンは慌てて止まっているはとバスの方にカメラの焦点を合わせてしまう。鼻ちょうちんを出して居眠りをしている運転手が無意味なアップになった。

「おかしい。この中じゃないわ。この『気』は、郵便局の外側にある。変ね。どこかに強い『気』の固まりが感じられるんだけど」

クミコはイライラした様子で辺りを見回した。今や完全に自分の世界に入りこんでしまっていると思われる。

「この人、霊能者かなんか？　まさか、おたくもＴＶ？　日テレの特番とか」

宮越は訝《いぶか》しげな表情でそっと蒲谷に尋ねた。

「三角関係のもつれで自暴自棄になった女が薬を飲んで逃げているんです。僕たち、その女を捜しているんですが」

「その女は君たちの友達なの？」

「いえ、知らない人です」

「知らない人？　で、この人は何？　この外国人は？　君たちとの関係は？」

「ええと、その。この人はフィリップ・クレイヴンというアメリカの映画監督で、彼女は彼のスタッフらしいです。で、僕たちは学生で、次期の幹事長を決めるために朝からコンペをしてて、たまたまこの二人とホテルで居合わせて」

蒲谷の説明は余計に宮越を混乱させたらしい。そこへ、スタッフの一人が緊張した面持ちでメモを持って走ってきた。宮越は渡されたメモを見て、顔色を変えた。改めて険しい表情を作り、カメラの正面に立つ。みんなが周りからそのメモを覗《のぞ》き込む。

「たった今、新たに入った情報です。人質になっているのは近くを通り掛かった小学生の女の子二人。人質になっているのは、子供二人です。そして、立てこもっている男たちは三人。犯人グループは三人です。刃物を突き付けて子供たちを脅しています」

宮越はますます深刻な表情になった。

「犯人たちは——犯人たちは、どうやら指名手配中の過激派のようです。中には、七十年代に日本を震撼《しんかん》させた連続企業爆破事件を起こした犯人も含まれている模様です。彼らは、爆発物のようなものを持っているという未確認の情報があります。爆発物を持って、人質と共に立てこもっている、そういう情報が入っています」

宮越は思わず独り言を漏らした。

「おい、こいつら、『まだらの紐《ひも》』だ。こりゃ、大変なことになったぞ」

83

北条和美はチラリと時計を見た。

午後五時を回ったところだ。八重洲支社から東京本社への便は既に出てしまっているので、この最後に滑り込んだ契約書類一式は、別に封筒を作って直接東京本社に持ち込み、相模原本社への荷物を運ぶバスに載せなければならない。

入金処理、オンラインの入力処理、役付の押印も済み、あとは書類を本社へ送るだけ。それまでは内心かなりハラハラしていたが、ここまで来ればもう安心だ。相模原本社への便は六時十五分。ここから本社まで、自転車で五分ほどしかかからない。今度こそ、自信を持って大丈夫だと断言できる。

和美はビニール袋に入った契約書類をもう一度確認し、契約部長あてと担当者あての手紙を手早く書き終えると一緒に中に入れた。更に、大きくマジックインキで「相模原本社契約部契約課御中」と表に書いたマチ付封筒に入れてガムテープで封をする。

そこまで済ませて安堵《あんど》してから、ふと、和美は田上優子が出かけたきり帰ってきていないことに気が付いた。

そういえば、出かけていってから随分経つわよねえ。サボる子じゃないんだけど、どうしたんだろう。まさか、事故に遭ってるんじゃ。

そっと、『外出』というプレートの貼ってある優子の予定表を見る。帰社予定二時十五分と書いてあるが、とっくにそんな時間が過ぎてしまっていることは確かだ。

そうか、雨のせいだな。

そう思い当たって納得する。

さっきは随分降ってたものね。傘持っていった様子もなかったし。

「森川くん！」

和美はよく通る声を張り上げ、ここぞとばかり遠くの席にいる森川安雄を呼び付けた。遠目にも、背中にコルセットを差し込まれたかのように安雄が全身を硬直させるのを見て、なんとなく満足感を覚える。

「東京本社に行ってきて。全速力よ。もう相模原本社行きのバスが本社に横付けされてるはずだから、きちんと直接運転手に渡して載せてもらうこと。書類を載せるカゴに入れたところまで見届けるのよ。いいわね？　額賀部長が命懸けで取ってきてくれた契約書なんだからね。わが支社の七月戦の成績がこの封筒に懸かってるんだかんね。万が一この封筒が載らなかったら、どうなるか分かってるだろうね？」

和美は畳み掛けるようにプレッシャーを掛けた。支社の隅の応接コーナーのソファで休んでいた額賀義人が、お茶を飲みながら小さく頷《うなず》いている。

みんなの注目を浴びているのを感じて、既に安雄はかちこちになっている。

「はい、いってらっしゃい。車に気を付けてね」

安雄は胸に封筒を抱え、青い顔をして支社を出て行った。

84

「まずいな」

イヤホンで小型ラジオから流れるキャスターの声を聞きながら、山本豊彦は小さく舌打ちした。

「どうした?」

白鳥健吉がかすかに目を動かして尋ねる。

「もう、マスコミに流れてる。立てこもってるのが『まだらの紐』の幹部だと」

「畜生、どこから漏れたんだ?」

「分からん。しかも、爆弾を持っているとまで言ってるぞ」

「そいつは困るな。これから一番通勤客が集中する時間だってのに」

健吉は思わず時計を見た。五時を回り、サラリーマンの退社時間が始まる。

「電車はどうするんだろう?」

「まあ、このコンコースは線路には遠いから、とりあえずダイヤ通りに運行しているらしい。この爆弾がどのくらいの威力かは分からないが」

「だが、まずいことばかりでもない。これで、爆発物処理班が動き始めた」

「何よりの強みは、爆弾がこっちの手の中にあることだ。あいつらはこのことを知らない。処理班に渡せば、駅の安全は確保される」

健吉は脇に抱えた『どらや』の紙袋を抱え直した。処理班が到着するまで、彼はこうして自分で持っているつもりだった。むろん爆弾を抱えていると考えると心は穏やかでなかったが、川添の技術はしっかりしているから、普通に持ち運びをしていてまず爆発する可能性はない。人が密集しているし、どこかに置いておくわけにはいかなかった。

幸い、現場を指揮することになったのは、白鳥たちのよく知っている人間だった。

雫石貫三は、コンコースの中心に立っていた。手に持っていた荷物を地面に置くように指示され、言わば犯人グループたちと警官隊との伝令役を務めていたのである。犯人グループは、拡声器を持ってくるように貫三を通じて命令していた。今、拡声器が用意されて犯人側に渡されたところだ。

貫三は次の指示を待って、両手を前に握ってじっとコンコースに直立している。

彼の足元には、ぽつねんと菓子の袋とグアムのパンフレットが置かれていた。

人垣の隅っこで、優子は地団太《じだんだ》を踏んでいた。

ああ、あたしのお菓子があんなところに。ほんの五メートルほどの距離なのに。代われるものなら代わってやりたい。なんでこんなことになっちゃったんだろ。北条さん、怒ってるだろうなあ。そういや、無事契約書は届いたのかしら？

優子は苦しい状況に追い込まれていた。時計は五時を回っている。確か、会社を出てきたのは一時半くらいだった。いろいろやむを得ない事情があったとはいえ、こんな時間になってしまったとあっては、今更もう手ぶらでは帰れない。たった五メートル先にあるその袋を取り上げればそれで済むことなのであるが、今その五メートルはどこよりも遠い五メートルなのであった。

悔しい、あの男。やっぱりとことん痛めつけて鉄道警察に引き渡しておくべきだった。

優子は怒りを新たにする。

それにしても、あのおじさんも、さっさとあのお菓子をあたしに渡してくれればいいのに。あんなところに置いておかないでさあ。いくら犯人の指示ってったって、人のものなんだから地面に置くことはないじゃない？　食べ物なんだし。

遠くから車の近付いてくる音がする。優子はそっと薄暗い駅の外を見た。

車の数は増える一方だ。車体を黒く塗り、窓に金網の入ったワゴン車が次々とやってきて、辺りに見る見るうちにバリケードが築かれていく。

凄《すご》いなあ。こんなにおまわりさんがいっぱいいるところ、初めて見たわ。

「お嬢さん、すみません。あれはあなたの大事なものなのでしょう？」

すぐ後ろに立っていた俊策が、そっと優子に囁《ささや》いた。優子は俊策が済まなそうにしているのを見て、腹を立てていたことを反省する。優子は笑って手を振った。

「仕方ないですよ。吾妻さんのせいじゃありません。平気平気、たいしたものじゃないです」

でも、取り返せるまで待つけどね。優子は心の中で呟《つぶや》いた。

ふと、後ろの方が騒がしいことに気付く。

見ると、ＴＶ局のスタッフらしいグループと、警官たちが押し合っているのだ。

あれ、宮越信一郎だ。

目敏《めざと》い優子は、先頭でマイクを握っている男がＴＶで御馴染《なじ》みのキャスターだと気付く。周りにいるスタッフが持っていた照明の光が目を射たので、反射的に目をしょぼしょぼさせた。隣にいた俊策も、手で光を遮っている。

優子も俊策も、そこにいるのがテレビ朝田の有名なキャスターだと気付いていたが、キャスターの後ろにいるビデオカメラが自分たちの姿を捉《とら》えていることには気付いていなかった。

85

「畜生、いよいよマッポが増えてきたぜ」

カウンターの向こうを覗《のぞ》き込みながら、水沼昭文は小太りな身体を丸め、焦燥を滲《にじ》ませた声で呟いた。

「まあ、落ち着けよ。こっちには人質がいるし、奴もすぐに手だしはできまい。子供がいるから強行突破はしてこないだろう。俺たちが過去にやってきたことを思えば、下手に刺激しない方がいいことは分かっているはずだ」

妹尾甚一はやんわりと言うと、TVのチャンネルを順番に切り替えた。

カウンターの中には、従業員のための小さなTVが一台置いてあった。今、どのチャンネルを回しても、東京駅の赤レンガが映っている。各局が一斉に緊急報道番組としてここから中継をしているのだ。訳知り顔のキャスターたちが、真面目な顔を装ってあることないことをまくしたてているが、どの顔も興奮していることが窺《うかが》える。

「ふん。事件が起きて喜んでやがるくせに、偉そうに」

妹尾は鼻を鳴らした。

「ま、これで一躍俺たちの名前は再び国民の記憶に刻みこまれたってわけだな。明日の朝は大きな花火が上がって、また一面トップを飾るわけだ。前宣伝をしてくれてると思えば安いものさ」

その、あまりにも酷薄さに満ちた声に、水沼昭文や川添健太郎も、仲間ながらも不気味そうな視線を向ける。

「――さて、過激派『まだらの紐《ひも》』とはどんな集団なのでありましょうか」

チャンネルを替えたとたん、朗々とした男の声が響いてきた。

健太郎は、その男の顔を見て思わず顔をしかめた。

宮越信一郎。いつも古臭い正義感を振りかざし、自分は常に正しい側に立っていると信じているこの男が、彼は大嫌いだった。

過去に起こした事件のぼやけたビデオテープが繰り返し流される。スタッフが泡を食って資料室から引っ張り出してきたのだろう。

「――これまでの経緯から言っても、今あそこに立てこもっているのは非常に危険で凶悪なメンバーであるとはっきり言い切れると思います。既にかなりの時間が経過しておりますが、警察の対応はどうなっているのでしょうか。では、ここで、警視庁から佐々木記者がお伝えします」

嫌悪感を押し殺しつつ、信一郎の声を聞き流しながら、健太郎はふと何かTVの画面に違和感を覚えたことに気付いていた。

なんだろう？　今何を感じたのだろう？

その時、ワアッ、という泣き声が聞こえてきて、男たち三人は一斉に声の方に顔を向けた。

「ひどい、麻里花ちゃん、ひどい、それはあたしのなのに」

「いいじゃない、玲菜ちゃんはもう飲んだんでしょう。あたしにも分けてよ」

おとなしく座っていたはずの少女二人が、顔を真っ赤にして揉《も》み合っていた。

髪の短い女の子の方は泣きべそをかいて、もう一人の髪の長い少女にとりすがっている。

どうやら、二人の少女は小さな赤い水筒を奪い合っているようだった。

「おい、静かにしろ。うるさい」

昭文が癇癪《かんしゃく》を爆発させて叫んだが、二人の少女は喧嘩《けんか》を止める気配はなく、髪を引っ張ったり、頭をこづいたりして水筒を奪い合っている。

「よせ、馬鹿。喧嘩なんかしてる場合じゃないってことが分からないのか」

昭文は青筋を立てて二人を引き離した。

髪の長い少女は意地悪そうな顔で、水筒を抱えている。もう一人はワアッと顔に手を当てて泣き出した。

子供の泣き声、しかもそのヒステリックな泣き声は、イライラしている時にはひどく癇に障るものである。

「いったいなんなんだ」

昭文は怖い顔で水筒を抱えた髪の長い少女を睨《にら》みつけた。少女は真っ赤な顔で唇を尖《とが》らせ、昭文を睨み返す。

「玲菜ちゃんがケチなんだよ。いいじゃん、カルピスくらい分けてくれたってさ。こんなに残ってるのに、ちっとも飲ませてくれないんだもん。ケチ」

「だって、だって、それはママが」

しゃくりあげながらもう一人が叫ぶ。髪の長い方は憎々しげに少女を無視すると、水筒の蓋《ふた》を開けようとする。

「ふん。玲菜のケチんぼう」

「それは玲菜のママが玲菜のために作ってくれたカルピスなんだもん。喉《のど》にいいようにって、蜂蜜《はちみつ》とかいろいろ混ぜてくれた、玲菜のスペシャルドリンクなんだからあ」

再びわんわん泣き出したので、昭文は顔をしかめる。更に、泣きながら少女は再びもう一人にむしゃぶりつき、更に取っ組み合いを続けようとする。

「黙れ！」

昭文が叫ぶと二人はびくっとして動きを止めた。

昭文は髪の長い方の少女が抱えていた水筒を乱暴に取り上げる。

「あっ」

二人が声を揃えて叫んだので、昭文はフンと鼻を鳴らし、「仲良くそこにある水でも飲んでな」とカウンターの中の台に置いてある銀色の水差しに顎《あご》をしゃくった。

二人は、気まずそうに顔を見合わせ、やがてムッとした表情で黙り込む。

「ったく、今のガキはほんとにこまっしゃくれてやがる」

昭文は他の二人のところに戻った。

が、その時、彼は自分が喉が渇いていたことに気が付いた。

そういえば、ずっと水分を口にしていない。思いもよらぬ事態に緊張の連続で、いつのまにか喉はカラカラになっていた。それでなくとも今日は朝からひどく蒸し暑かったし、冷や汗も含めて随分汗をかいている。

特製のカルピス。

少女の声が脳裏に蘇《よみがえ》った。思わず喉が鳴る。

子供の頃、普段は働いていて家にいなかった母親が、たまに縁側で入れてくれたカルピス。その場面だけが、あまり恵まれていたとはいえない少年時代で、唯一淡く柔らかい思い出だった。母親は、TVコマーシャルで見たように、縦長の大きなコップに、きちんと氷を入れて作ってくれた。氷がカランと鳴る音と、風鈴の音が聞こえたような気がした。汗をかいた冷たいコップの感触とひんやりした縁側の感触とが同時に蘇る。

昭文はそっと水筒の蓋を開け、懐かしいその匂いを嗅《か》いだ。

無意識のうちに、喉を鳴らしてごくごくとカルピスを飲んでいた。かなり温《ぬる》くなっていたが、甘さが心地好かった。飲み始めるとやめられない。

「おい」

隣でじっとTVの画面に目を凝らしていた健太郎は、突然鋭い声を上げた。

他の二人がハッとして彼を見る。

「こいつだ」

健太郎は低い囁《ささや》き声で呟《つぶや》いた。

「こいつ、というのは？」

甚一がかすかに眉《まゆ》をひそめて健太郎を見る。

健太郎の視線はじっとTVの画面を食い入るように見つめている。

「このキャスターがどうした？」

昭文が、カルピスを一気に飲み干し口元を拭《ぬぐ》いながら尋ねた。

「この馬鹿じゃない」

健太郎は画面の隅を指差した。

丸の内南口のコンコースを取り巻く人垣が映っている。その中に、クラシカルな帽子をかぶった、小柄で姿勢のいい老人の姿があった。それは、忘れもしない、彼の大事な『試作品』を持っているはずの男である。

「こいつが俺の『試作品』を持っている男だ」

「なに？」

健太郎は老人の近くの人間を更に細かく観察した。

「――あった」

健太郎は気抜けしたような声で呟く。他の二人も、ぶつかりあうようにしてTVの画面にかぶりついた。

「これだ」

健太郎の指差すところを見る。

老人のすぐそばにいる男が、脇に袋を抱えていた。言葉を交わしているところを見ると、老人の連れなのだろう。この男は、刑事だ。長年染み付いた職業が一目でそれと知れる。周囲を見回す目付きの悪さ、全身のスキのなさがそれを如実に物語っている。この男は、この袋の中身を知っているのだ。つまり、これが俺の『試作品』に違いない。

「くっ」

健太郎は皮肉っぽい笑みを漏らした。

「たまには正義の味方が役に立つこともあるんだな」

画面に映り、唾《つば》を飛ばしながら喋《しゃべ》るキャスターの顔を指で弾《はじ》いた。

86

「間に合ったんだって?」

ホッとした顔で支社長がオフィスに戻ってきたことで、ようやく支社の中に和やかなムードが流れ始めた。

「いやあ、ご苦労さん。額賀くん、ありがとう、ありがとう」

「そんなあ、たいしたことじゃあありませんよ。雨の中、バイクを飛ばしてきただけですからね。僕は後ろに乗ってるだけだったし、久々に東京見物としゃれこませてもらいましたよ。いやあ、いい眺めだったなあ」

手を握る支社長に、義人は謙遜《けんそん》してみせる。

むろん、義人がここに辿《たど》り着いた時の状態をよく知っている女性社員たちはそっと顔を見合わせてクスリと笑っている。

「お茶淹《い》れましょう」

えり子が立ち上がって、給湯室に向かった。

「それにしても、優子はどうしちゃったんだろ」

「雷に当たったかな」

「あたし、お菓子頼んだんだけどな」

和美たちは空っぽのままの優子の机を囲んで、ぼそぼそと話し合っていた。

「まじで、どっかで事故に遭ってるんじゃないでしょうね」

和美もそろそろ真剣に心配になってくる。どこかで、優子が車にはねられて救急車に乗せられている姿が脳裏に浮かんだ。あいつ、一つのものを見てると他のものが目に入らないからなあ。お使いに出したのは自分だし、和美は責任を感じた。

「あたし、ちょっと捜してこようかな。あの子、どっちに行ったと思う？　銀座か東京駅か」

「東京駅だと思うな。最近、優子が凝ってるお菓子が東京駅の大丸に売ってるんですよね。帰りに行くといつも売り切れてるって悔しがってたから、絶対今日はそれゲットしに行ってるはずですよ」

「よし。ちょっと見てくるね。携帯持ってくから、何かあったら電話して」

「はい」

和美はポケットに財布と携帯を押し込み、支社の入口に置いてある置き傘を取り上げて廊下に出ようとした。

すると、ぬっと森川安雄が顔を出した。

「うわ。びっくりした」

和美は思わず立ち止まったが、彼の青い顔を見て珍しくニッコリ笑いかけた。

「お帰りなさい。どうもありがと。お疲れさま」

「お帰りい」

みんなが明るい声で彼を出迎える。

しかし、安雄の表情はどことなく冴《さ》えなかった。入口から恐る恐る中を覗《のぞ》き込んでいるばかりで、なかなかオフィスに入ってこようとしないのである。

「どうしたのよ、そんなところに突っ立ってないで、さっさと入ってくれば？　今、お茶淹れるわよ」

和美が不思議そうに声を掛けると、安雄は口をパクパクさせた。

「え？」

耳を突き出すと、安雄は更に口を動かしているが、どうやら本人は喋っているつもりらしいのに、ちっとも声になっていないようなのだ。

「ちょっと、あんた、具合が悪いんじゃないの？　あたしが言った通り全速力で走り過ぎて息切れしたんでしょう。馬鹿ね、適当に休まなきゃ。それでなくとも新入社員はデスクワーク続きでがっくり体力が落ちるものなんだからね」

「み、道が」

「あん？」

安雄は、おずおずと手に持っていたものを差し出した。

「ええっ」

和美は自分の目を疑った。

大判のマチ付封筒。

彼の手に握られているのは、さっき持たせて東京本社に届けさせたはずの、契約書の入ったマチ付封筒である。

「なっ、なんで、あんた、それをまだ持ってるの？」

和美はわなわなと震えながら封筒を指差す。

オフィスの中に凍り付いたような沈黙が行き渡った。支社長以下、誰もがぽかんと口を開いて安雄の持っている封筒を見つめている。

「通れないんです」

弱々しい安雄の声に、今や支社の全員が耳を澄ませていた。

「へ？」

「なんだか、今、東京駅が大変なことになってるらしいんです。丸の内側に行く道路がみんな封鎖されています。本社に行く道が、どこも警察に止められてるんです。どうしても、通してくれないんですよ」

安雄は泣きそうな声でおろおろと叫んだ。

「封鎖されてる？」

みんながあっけに取られた表情で、安雄をじっと見つめている。

和美はふと、壁に掛かった時計に目をやった。

時計の針は、間もなく午後五時三十分を指そうとしていた。

87

「あんたたちの思い出の場所っていうのはどこなのよ」

美江は、うっとりした表情で隣を歩いている正博を冷たい目で見た。

こいつ、まだあの放送の余韻に浸っているらしい。他人のふりしてやる。離れて歩こうかしら。

「来る。きっと彼女は来てくれるよ。あれだけ熱く俺が訴えたんだもの」

正博は高揚した気分が続いているらしく、晴れ晴れとした表情でスタスタ歩いていく。

「あれを聞いてればね」

きっと、あれでまた騙《だま》されちゃっただろうな。

美江はあきらめたような表情で考えた。かくて、過ちは繰り返されるのだ。この次こそは断ろう。ええ、絶対断ってやる。

手に持った紙袋をブラブラと振り回す。なんだか硬いものが入っているみたいだ。さっきから揺らすとゴトゴトいっている。

「そうだよな。やっぱり、恋愛は初心に帰らなくっちゃ。最初の頃のときめきを忘れたら、おしまいだよな」

「はいはい、よりを戻すなりなんなりしてよね。ただし、まず最初に救急車を呼んで胃袋を洗浄して貰《もら》うのが先よ」

「大丈夫、愛は強し」

何が大丈夫なんだか。

「どこ行くの、正博。駅から出るの？」

「うん。さっきの東京中央郵便局が僕たちの思い出の場所なのさ」

「何？　あんたって、切手収集の趣味でもあったの？　あたしもあそこで記念切手買ったことあったけどさ。皇太子ご成婚の時」

　正博はゆるゆると首を左右に振る。

「中じゃない。外にあるんだ」

「外？」

　美江はきょとんとする。

「すぐに見せてやるよ」

　だが、二人は行く手が何かざわざわとしていることに気が付いた。どことなく不穏な雰囲気が漂っていて、大勢の人だかりがしている。

「あれ、何かあったのかしら」

「凄《すご》い人だな。パック旅行の団体かも」

「旅行者にしては、みんなスーツを着てるけど」

　近付いてみると、通路の奥でズラリと警官が並んで通せんぼをしているのだった。

　前方にいる男たちが口々に何か言っている。

「何？」

「なんでも、南口で人質取って立てこもってる男がいるらしいぜ」

「じゃあ、改札も通れないってこと？」

「丸の内側は全部封鎖されてるらしい」

何も知らずに通路をやってくる歩行者が、どんどん溜《た》まってゆき、騒ぎは大きくなってきた。

「どういうこと？」

正博と美江は顔を見合わせる。

88

「おい、雫石。一つ頼みがあるんだが、聞いてくれないかな」

突然、拡声器から落ち着いた低い声が流れ出したので、ざわめいていたコンコースの周辺がピタリと静まり返った。

それは劇的な変化だった。

どんよりしていた生暖かい空気が、急にピンと透き通ったようになる。

押し合っていた警官とTVクルーも思わず動きを止めて、声の方に向き直る。

誰もが動きを止め、カウンターの中から聞こえてくる声に耳を澄ませた。

これは、川添健太郎の声だな。

貫三は背筋を伸ばし、緊張した表情でカウンターの方に目をやった。

「なんだ」

毅然《きぜん》とした、それでいて静かな声で応《こた》える。

ブツ、という、拡声器を使う時の独特の音がする。みんなが更に耳を澄ます。

「俺は、自分の作った作品に誇りを持っている。自分の作品は愛着があるもんだ。今、このコンコースに、俺の作った作品を持っている奴がいるんだ。俺は、自分の作品を今ここで返して貰いたい」

隅の方にいた白鳥はぎくっとした。俊策も動揺してわずかに彼を振り返った。

優子はこの話の意味するところを分かるはずもないので、きょとんとして聞いている。

「もちろん、返して貰えない場合は、不本意ながらここにいる子供たちに痛い目に遭ってもらうしかない。卑怯《ひきょう》だなどと言うなよ。そもそも、俺の作品を盗んだのはおまえたちの方なんだから」

貫三はジワリとこめかみに汗を感じた。

どこで見られた？　ここに俊策たちがいることに、いつ気付いたのだろう？

「おまえ、何か勘違いしてないか？　どうして、ここにおまえの作品があるなんて思い込んだんだ？」

貫三はなるべく意外そうな様子が声に表れるよう努力したが、拡声器の向こうで小さく笑う声が聞こえた。

「うん、そこに青い事務服を着た女の子がいるだろう――ああ、お嬢さんは、俺のことを派手に投げ飛ばしてくれたＯＬさんだね？」

今度は優子がギクリとする番だった。反射的に周囲を見回す。

あたしは人垣の一番外側の方にいるのに。なぜあいつにはあたしの姿が見えるのだろうか？

きょろきょろ辺りを見回す。

「彼女のすぐ隣に、灰色の帽子をかぶったご老人がいるよな。どうも、その節は。いろいろお世話になった。あんたにはすっかり騙されたよ。どうみても一般人だと思ったんだが」

俊策が動揺したように白鳥を見る。白鳥も鋭い目付きで辺りを見回している。

「その隣のあんた――今、きょろきょろしているあんた。刑事さんだね？　お勤めご苦労さま。そして、あんたが脇に抱えてる袋。それが、俺の『試作品』だ」

白鳥はぐっと詰まった表情で、思わず脇に抱えた袋をぎゅっと抱き締めた。人垣がサッと割れ、周りにいた人間が自然と白鳥を遠巻きにする。

「そう、あんただ。さあ、こっちに歩いてこい」

白鳥の前ががらんと空いた。

彼は青い顔をして、じっと考え込む。

「おい、逃げようなんてことは考えるなよ。さあ、とっとと歩いてくるんだ！　何か小細工をしようとしたら、すぐにここにいるガキの喉《のど》をカッ切るぞ！」

甚一が玲菜の喉にナイフをぎゅっと押しつけたので、玲菜は思わず悲鳴を上げた。

「玲菜！」

人垣の向こうで、警官に囲まれている玲菜の母親がヒイッと喉から振り絞るような悲鳴を上げた。

「助けて――助けてえ」

もはや玲菜の母親は叫び疲れてすっかり声が嗄《か》れてしまっていた。目の下にはげっそりした隈《くま》が浮かび、精神的に極限状態にあることが窺《うかが》われる。

明子は真っ青な顔で耳を塞《ふさ》いでいた。玲菜の悲鳴を聞いたとたん、心臓をぎゅっと誰かにつかまれたような心地がして、とても続きを聞いていられなかったのだ。

がんがんと頭痛がする。

嘘だ。こんなことは嘘だ。あの向こうにあたしの娘がいるなんて、あたしの麻里花がいるなんて嘘だ。お願い、誰か嘘だと言って。

「やめろ！　子供に手を出すんじゃないっ」

白鳥は真っ青な顔で叫んだ。

「分かったな。さっさとそれをこっちに渡すんだ。のろのろするんじゃないっ」

健太郎が冷たい声で叫ぶ。

白鳥はゆっくりとカウンターに向かって近付いていった。

健太郎は心の中に充実感を覚えた。そうだ。この瞬間を待っていた。俺の作品が、俺の手に戻る瞬間。俺の手の中に全てがあると感じられる瞬間を。

後ろで昭文がしきりともぞもぞしているのを感じ、健太郎はチッと舌打ちをした。

「おまえ、さっきから何をもそもそしてるんだ」

「いや、その、ちょっと」

じっとりと脂汗を流しながら、昭文は言葉を濁した。身体の動きを止めようとするのだが、自然と身体が動いてしまう。

痛い。

下腹部に意識を集中させてみる。なんだか、だんだん腹が痛くなってきた。どうしたんだろう？　徐々に痛みがひどくなってきてるような気がするんだが。

気のせいだ、気のせい。きっと緊張しているからだ。こんな場面は初めてだからな。

昭文は必死にそう自分に言い聞かせるのだが、彼の努力と反比例するように、少しずつ痛みは増してくる。

店を出た、通路の奥にトイレがあるのには気付いていた。

昭文はソロリと動き出そうとする。

「おい、どこへ行く」

甚一が恐ろしい目付きで昭文を睨《にら》みつけた。反射的に歩くのをやめる。

「いや、ちょっと」

「馬鹿、何考えてるんだ。今、大事なところなんだぞ。ブツを手に入れるまでじっと待ってろ。奴ら、何するか分からんぞ」

そう鋭く叱責《しっせき》され、昭文はなんとか動きを止めることに成功した。

しかし、じっとしていることがいよいよつらくなってきた。

まずい。なんなんだ。これはどうしたことだ。

脂汗はどんどん流れ出してくる。下半身が言うことをきかなくなる瞬間が近いことを、心のどこかで悟っている。

まずい。これはまずい。

昭文は頭の中が真っ白になった。

「さあ、早く持ってこい」

健太郎は更に促した。

が、白鳥はゆっくりと進んでいく。真っ青な顔で、カッと目を見開いたまま、そろりそろりと健太郎に近付いて行く。

貫三がそれを凍り付いたような目で見ている。

何かないか。何か。

貫三も、白鳥も、頭の中で必死に手段を模索していた。

ここで爆弾を返してしまったらますます事態は絶望的になる。

電車はまだダイヤ通りに運行している。もし、この場所でこいつに爆弾を渡し、ここでかつての企業爆破事件の規模の爆破が起きたら、東京駅を利用する数百、いや、千人単位の人間が死傷することもあり得るのだ。

「ありがとうよ、宮越さん」

突然、笑い声を含みながら健太郎が叫んだ。

マイクを手にじっと耳を澄ませていた宮越信一郎はハッと顔を上げた。彼の周りにいた警官やクルーが彼に注目する。

「あんたの主張する、報道の自由って奴のおかげで、俺は自分の作品を取り戻すことができたんだからな。ほんと、TVってのは便利なもんだな。こんな狭いところにいても、コンコースの周りに誰がいるかってことをちゃんと映し出してくれるんだからな。確かに、報道の自由は役に立つな。俺がここで全国の視聴者にきちんと宣伝しとくよ」

信一郎は思わず後ろに構えているカメラに目をやり、顔を赤黒くした。

「くっ」

カメラマンも、顔を赤くしたり青くしたりしている。

厳しい表情をした警官がクルーの周りに寄ってきて、小さく左右に首を振る。

TVクルーは暫《しばら》く歯を食いしばり、真っ赤な顔で互いの表情を見ていたが、やがてすごすごと引き返し始めた。

「おい、止まるな。さっさとしろ。いい加減待ちくたびれたぞ」

白鳥がびくりと全身を震わせた。宮越に注意がそれていることをいいことに、思わず歩くのを止めていたのだ。

どうすればいいんだ。どうすれば。

真っ青な顔で、白鳥は一歩一歩健太郎の待つカウンターに向かって近付いていく。

89

浅田佳代子は上気した顔でうきうき歩いていた。

真面目で几帳面《きちようめん》な性格に加え子供の頃から学業で培ってきた集中力ゆえ、一つのことに執着して根に持ちやすいが、一方でそれが何かの拍子に方向転換されると、あっさり執着していたものを忘れてしまう。このあたりが、育ちの良さも手伝って意外に単純な彼女の性格を表しているし、正博のような男に騙《だま》される一因であろう。

今の彼女の頭は正博との甘い日々と、このあとに待ち受けるであろう劇的な再会に占められていた。

普段の彼女であれば、周囲の雰囲気がなんとなくおかしいということに早々に気付いていたはずだ。おかしいというよりも、はっきり不穏と言った方が早い。なにしろ、べらぼうな数の警官が構内に溢《あふ》れている上に、外には更に多くのパトカーや機動隊の車が集まりつつあったのである。通行人や駅の利用客が怪訝《けげん》そうな顔で辺りを埋めている。折しも、一大ターミナル駅である東京駅では、週末の夕方の帰宅ラッシュが始まろうとしていた。殺気にも似た、騒然とした空気が漂っている中、一人夢想に浸りつつうっとり歩いている女が少々浮いて見えるのもいたしかたない。いや、正直に言って、かなり危ない人に見えると言われても無理はなかったのである。

彼女は全身がぽかぽかと暖まっているのに気付いた。

まあ、心が浮き立っているせいね。愛があたしの身体を熱くしているんだわ。そういえば、さっきから随分汗かいてる。

それは決して愛のせいではなく、夏の東京の都心の不快指数が高いためと、合わないスーツとかつらのせいだったのだが、ふとかつらに手をやった彼女はだんだん自分がこんな格好をしていることがばかばかしくなってきた。

何やってんだろ、あたし。さっきまであんな猜疑《さいぎ》心に燃えてたのが嘘みたい。

彼女は思い出し笑いと恥ずかしさに一人顔を赤らめて歩きながら、おもむろにかつらとサングラスをむしりとったのであった。

90

最初に、その挙動不審な若い女に気付いたのは、八重洲北口近くに詰めていた若い警官であった。

ついに帰宅ラッシュが始まってしまったのに、未《ま》だ丸の内南口に立てこもった過激派の事件は動きがない。今すぐ解決に向かったとしても、通勤客の足に影響が出ることは避けられなかった。地下鉄丸ノ内線でも乗降客が増え出したため、あちこちで通行の規制のために多数の警官が動員されていた。

「島さん、あの女、どう思います？」

警官は一緒に組んでいた五年先輩の警官をそっと肘《ひじ》でこづいた。

「ん？」

その女は、多数の利用客が行き交う通路でもぱっと目についた。ふらふら、きょろきょろして落ち着きがない。他の通勤客が異様な雰囲気の駅に驚いて情報を求めたり、さっさと目的地に向かおうとしているのに、いかにも不審な動きをしている。

「あれは、変装だな。何してるんだ」

年嵩《としかさ》の方の警官は一目見て女が変装をしていることを見抜き、訝《いぶか》しげな表情になった。

二人は顔を見合わせたが、そっと跡をつけ始めた。

「気を付けろよ。もしかすると、『まだらの紐《ひも》』の仲間が他にもうろうろしてるのかもしれん」

そう言って、年嵩の警官はそっとハンディマイクを構え、本部に指示を仰いだ。

「こちら、八重洲北。挙動不審の若い女を発見。女は変装しており、八重洲側地上通路をうろうろしています。年齢、二十六、七歳と思われますが大きなサングラスで顔を隠しており、詳細は不明です。中肉中背、痩《や》せ型——いいえ、手には小さなハンドバッグが一つです。——はい。一人で」

何度か低く頷《うなず》くと、若い方の顔を見て頷いた。若い方も頷き返す。職務質問をして、場合によっては任意同行だ。

二人は背筋を伸ばすと、緊張した面持ちでその女の方へ近付いていった。

女の不自然に艶《つや》やかな黒い髪が目の前に迫る。年嵩の警官は、努めてさりげなく声を掛けようと口を開いた。

「もしもし、ちょっとお尋ねいたしますが」

そう声を掛けるのと同時に、突然、女はかつらとサングラスをぱっとむしりとったので二人は仰天した。

仰天したのは、二人だけではなかった。

声を掛けられた女はきょとんとした顔で後ろを振り返ったが、そこにいたのが二人の警官だったのでびっくりした。

ストップモーション状態になった三人の間に沈黙が降りる。

両手にかつらとサングラスを握った佳代子は、その時になって初めて、ホテルのカウンターで足元に置いておいた紙袋を忘れてきたことに気が付いたが、それも一瞬のことで、目の前にいる二人の警官ですぐに頭がいっぱいになった。

驚いていた警官は、佳代子の両手のかつらとサングラスを見て顔色を変えた。

「おい、これはどういうことだ。君、ちょっと一緒に来てもらいましょうか」

佳代子は頭の中が真っ白になった。

幼稚園時代から無遅刻無欠勤、夏休みのラジオ体操も皆勤賞、中学は風紀委員で生徒会副会長と品行方正な道を歩んできた佳代子は、自分が警官に恐ろしい顔で睨《にら》みつけられようとは夢にも思っていなかった。規則に忠実な彼女は、同時に社会的な権威に畏怖《いふ》を持っていた。心の中に、あっというまに恐怖が膨れあがる。

佳代子は口をパクパクさせた。善良な市民の常として、歯医者と警官が怖いのである。

警官の方でも、ついつい『こいつは過激派の仲間に違いない』という色眼鏡で見ているから、いつも年寄りに道を聞かれている時の作り笑いとは迫力が違って、七割増くらいの怖さである。

よって、大いにびびった佳代子が反射的に取った行為は本能的かつ単純であった。

つまり、彼女はくるりと背を向け、その場から八重洲南口の方へ脱兎《だっと》のごとく逃げ出したのである。

もちろん、一瞬面食らってから、警官たちがその後を慌てて追いかけていったのは言うまでもない。

91

「見える？」

「いや、ダメだ。犯人は構内の喫茶店に立てこもってるらしい」

「ものすごい警官ね。エキストラみたい。どこからこんなに湧いてきたのかしら」

「密室だな」

「この状況で、喫茶店の中から犯人が煙のように消えたら凄《すご》いな。衆人環視。警官に囲まれ、TVまで実況中継してる。スリルとサスペンス、社会派と本格との融合。シチュエーションは警察小説で、実は密室ものの本格。これは凄いぞ、新機軸かも」

「どうやって？」

「地下にGHQが作ったVIP用の通路があった、なんてダメよ」

「そういう安易な物理トリックはNGだぞ」

「あそこに立ってるおっさんは刑事なのかな」

「あ、交渉人ってやつ？」

「一つ思い付いたぞ、こういうミステリはどうだ。一番最初の場面は、あのおっさんが強行突破して喫茶店に飛び込むところから始まるんだ。飛び込んでみたものの、店はもぬけのから。人質はきょとんとした顔で残っていて、犯人は煙のように消えてしまった。これはどうしたことだ？　おっさんは呆然《ぼうぜん》とする。周りはびっしりと警官隊に囲まれているし、TVが中継もしている。小さな店だし、どこにも逃げ場所はない。完全なる密室、不可能犯罪の提示」

「ふんふん、それで？　真相は？」

「本当は、あのおっさんは自分が刑事だと思い込んでいるサイコパスキラーで、これはあのおっさんをつかまえるための大芝居なんだ。だから犯人たちはほんとの警官で、カウンターの中には警官の制服が三着おいてある。犯人たちは密《ひそ》かに制服に着替え、スキを見て警官隊の中に一人ずつ紛れこんでいく。で、あのおっさんが踏み込んだ時には誰もいなくなっていたってわけ」

「なんでそんな面倒くさいことしなきゃなんないの？　芝居なんかせずに、とっとと最初からつかまえりゃあいいじゃないの」

「いや、そこがこの話の複雑なところでさ。あのおっさんは、実は本当に元刑事だったわけ。サイコパスキラーになっちゃったっていうのも、かつて担当した人質事件で、人質を救えずに犯人ともども殺してしまったという心の傷があるわけ。で、その事件の時に自分も巻き添えをくって頭に傷を受け、彼は記憶を失っているんだな。で、彼は自分が事件の巻き添えになったことも忘れちゃってて、事件の記憶が蘇《よみがえ》りそうになると衝動的に殺人を犯す。でもって、彼を慕っていた、元は彼の部下だった刑事たちが彼の記憶を蘇らせようとこういう大芝居を目論《もくろ》んだってわけ」

「なんかそれってかなり無理がない？　犯人が消えちゃったんじゃ、彼は記憶を取り戻しようがないじゃないの。事件の再現になってないでしょ」

「たかが一人の人間の記憶を取り戻すためにしちゃあ、コストかかりすぎだよ。それって税金でやるわけ？　これだけの警官動員すんのも、駅の構内使うのも？」

「うるさいなあ、例えばの話だよ、例えばの。コストなんか考えたら、探偵小説のトリックなんてどれも予算オーバーじゃないかよ」

「ヒー、イズ、ネゴシエーター？」

　春奈や忠司が、野次馬の群れに身体を潜りこませようと四苦八苦していると、フィリップがコンコースに立っている初老の男を小さく指さした。頭一つ抜けて長身の彼は、野次馬と警官越しにも中が見えるので、カメラを持ってこなかったことをひどく悔しがっていた。

学生たちがすっかりこちらの事件に興味を移した今も、クミコは一人で東京中央郵便局の周りをうろうろしている。

また、意気消沈したテレビ朝田のスタッフは、こそこそと人垣の向こうで情報収集にあたっていた。

「ネゴシエーター？」

「交渉人ってことね。日本の場合は『説得』よね。『説得』って英語でなんていうんだろ」

「えーと、エクスプレイン？」

「そりゃ『説明』だろ。『説明』と『説得』は違うよな」

学生たちは記憶の彼方《かなた》に埋もれている英単語を探ったが、語呂《ごろ》で覚えた余計な文章ばかり蘇ってきていっかな単語が浮かばない。

「あ、動き出したよ」

春奈が前方の警官隊に緊張が走ったのを感じ取り、声をひそめた。

コンコースの中で棒立ちになっていた男が、紙袋を手にそろそろと進み始めたのである。

思わず誰もが口をつぐみ、顔を上げて前方を見守った。

さて、飼い主と共に宿泊していたホテルの部屋を抜け出し、カウンターの下にあった紙袋に潜り込み、暫《しばら》くじっとしていたダリオは、付近の異様な雰囲気を感じ取っていた。

それでなくともさっきから、地面に投げ出されたり、持ち上げられたり、傾けられたり、抱えられたりと、繊細な彼にとっては乱暴に扱われる時間が長く、彼は大いに気分を害していた。潜り込んだ時には快適に思え、彼を安堵《あんど》させたこの狭い空間もいい加減嫌になってきていたし、そろそろ主人が恋しくなってきていたのである。

更に、少し前から彼にとって到底我慢しがたい状態が続いていた。

どうやら彼の入っている袋は、空中にぶらさげられているらしかった。しかも、小刻みにぶるぶる震えていて危なっかしいことこの上ない。いつも狭い場所にじっと身体を付けている彼にとって宙ぶらりんになっている状態というのは不快な状態であるし、小刻みな振動はもっと気に入らなかった。

ダリオはすっかり不機嫌になり、神経質になっていた。

紙袋は空中で誰かに渡されたらしかった。グラリと大きく揺れたのでダリオは焦った。このまままた地面に落ちてしまうかと思ったのである。さっきは不意をつかれ、腹を打ち付けてしまった。ダリオは足を踏ん張って耐える。

が、次の瞬間、ダリオはぎゅっと足を押さえ付けられて思わず悲鳴を上げた。

紙袋の上から誰かが手を押し当てたのである。

動物虐待反対！

ダリオはついに我慢しきれなくなって頭をぐいと上に突き出した。

93

昭文はもう何も考えられなかった。

下腹部の痛みはもう限界を超え、目の前が赤くなり、全身から冷や汗が噴き出している。

今はもう、一刻も早く近くの通路の奥にあるトイレに駆け込むことしか頭になかった。

自分たちがのっぴきならない状況にあることはじゅうじゅう理解しているつもりだったが、下腹部からのサインは今はそれどころではないことが彼の身体に起きていることを強く訴えかけていた。

あまりの痛みにぼやけてまだらになった視界の中で、健太郎が真っ青な顔の刑事から紙袋を受け取るのを見た瞬間、ついに彼は全てをかなぐり捨ててそこを飛び出し一目散にトイレに向かった。

昭文は、自分をそっと遠くから見ていた二人の少女が、ひそかにVサインを出していることには全く気付かなかった。

94

紙袋を持ってこちらに歩いてくる刑事の手が、ぶるぶる震えているのを見てとった健太郎はふんと鼻で笑った。

「さっさとよこせ」

固まったようになっている刑事の手から、健太郎は最後は身を乗り出して紙袋をむしりとった。

「全く、とろとろしやがって」

そう呟《つぶや》きながらも、健太郎はどこからか変な呻《うめ》き声が聞こえたような気がした。

呻き声というか、空気が抜けるような音というか——なんだろう。紙袋の中から聞こえたような気がしたんだが。それに、なんだ？　この感触。俺の『試作品』がこんなに柔らかいはずはないんだが。

次の瞬間、その紙袋がごそごそと大きく動いた。

「え？」

健太郎は目を瞠《みは》った。彼の手の中で、何かが力強く動いている。その動きは更に大きくなり、紙袋がその反動で手から放り出された。

慌てて拾おうとすると、突然紙袋が開き、何か黒い大きなものが紙袋からぽーんと空に向かって飛び出して、カウンターの向こうにいた甚一の顔にべちゃりと音を立てて着地した。

「ぎゃーっ」

甚一が凄《すさ》まじい悲鳴を上げたのを、健太郎は啞然《あぜん》として見守っていた。

「やめろっ、嫌だ、取ってくれ、取ってくれーっ」

甚一のうろたえようは尋常ではなかった。身体を振り回し、壁やカウンターに身体をぶつけ、健太郎をつきとばし、両手をぐるぐる回しながら店の外に飛び出したのである。

コンコースに飛び出してきた男を見て、思わず周囲の者は反射的に後退《あとずさ》った。

そこには、巨大なトカゲ——正確にはイグアナだが——に顔をすっぽりと覆われた男がいたのである。

「なっ」

これには白鳥たちも仰天した。

甚一の顔の上のダリオも仰天していたが、驚いている暇はなかった。めちゃくちゃに動き回り、悲鳴を上げる甚一の顔から振り落とされまいと必死だった。急に明るく広いところに出てきて、しかも周りに大勢の人間がいることでダリオもすっかりパニックに陥っていたのである。

ダリオにも甚一にとっても不幸なことに、甚一は、性格は爬虫類《はちゅうるい》的なくせに、子供の頃から大の爬虫類嫌いであった。その爬虫類の権化みたいな大きなイグアナが宙を飛んできて、しかも自分の顔にべったりと貼りついたというのは、彼にとっては最悪の悪夢としかいいようがなかった。彼の脳裏には、なぜか繰り返し映画『エイリアン』の最初の犠牲者の場面がくっきりと浮かんでいたのだった。

すっかり我を忘れた甚一はダリオを顔に付けたまま自ら警官の群れに突っ込んでいった。最初はあっけに取られていた警官たちが、気を取り直してあっというまに甚一を取り押さえる。

一方、この時を狙って外を囲んでいた警官も一部コンコースに突入した。トイレに飛び込んだ昭文を取り押さえるためである。もっとも、昭文は抵抗するどころではなく、とっくに個室の中で戦意を喪失していた。

フィリップ・クレイヴンは甚一が飛び出してきた瞬間、それが自分の愛するペットであることを即座に見てとった。どこをどう経由してきたのかは分からないが、あの男の顔の上にいるのは紛れもない可愛いダリオである。

「ダリオ！」

フィリップは思わず駆け出した。その時、一斉に包囲が崩れて、一瞬コンコースは大混乱に陥っていたのである。

「ダリーオ！」

取り押さえた甚一の顔から、必死にしがみついているイグアナを引き離そうと難儀していた警官たちは、突如長身の外国人が飛び出してきたので呆然《ぼうぜん》としたが、そのイグアナの飼い主であると気付き、フィリップにイグアナを引きはがすよう要求した。

フィリップも警官たちと一緒にダリオをはがそうとするのだが、ダリオはすっかり人間不信に陥っており、がんとして離れようとしない。これ以上力を加えると、ダリオにも甚一にも傷がつきそうである。

「仕方がない、このトカゲが落ち着くまであなたも付いていてください。離れたら即刻連れてってくださいよ」

警官があきらめたように言うと、フィリップも頷《うなず》いた。甚一だけが、一人わんわん泣きわめいている。

が、その時にはフィリップは、今閃《ひらめ》いたアイデアで頭がいっぱいになっていた。

よし！　これは使えるぞ。出だしは東京駅。人質を取って立てこもった男にネゴシエーターが近付くと、突然、トカゲに似た巨大な怪物が現れる。出だしをポリティカル・サスペンスと見せかけておいて、いきなりSFホラーにするのだ！　スリルとサスペンス。社会派とSFホラーとの融合。新機軸だ！

コンコースに警官が飛び込んだ瞬間、田上優子もすかさず前に飛び出していた。

もちろん、彼女の目当ては地面に置かれていたお菓子の包みである。

悲鳴と怒号が飛び交う中、優子はしっかりと包みを抱え、喜色満面でコンコースから飛び出し、中身を確認するのに余念がなかった。

昭文がトイレに飛びこみ、甚一がコンコースに飛び出していったのを見た麻里花と玲菜は「やった」と飛び上がり、外に出ようとしたのだが、血相を変えた健太郎が飛び込んできたので思わず抱き合ってしゃがみこんだ。

「座ってろ！」

その怖い声にびくっと身体を震わせる。

健太郎は甚一が放り出していったナイフを素早く拾いあげ、乱暴に拡声器を取り上げた。

「静かにしろ！　おまえら、外に出ろ！　まだガキはここにいるんだぞ！」

たちまちコンコースが静まり返り、ざわざわと声を潜めて人々が動き出した。

「早くしろ！　もう騙《だま》されんぞ！」

健太郎の声にヒヤリとするような憎悪を感じ、白鳥たちものろのろとコンコースの外に出た。

「あれはいったいどういうことなんだ？　爆弾はどこに？」

白鳥たちは顔を突き合わせ、早口に話し合う。

優子と俊策は、あまりの展開にぽかんとしていた。

白鳥が優子の顔を見た。

「あの紙袋は、八重洲口で拾った紙袋ですよね？　そのあとどこかで手を放したりしてませんよね」

「ええ、あの時、この方が落としたのを拾って、そのあとは——」

優子は記憶を辿《たど》った。どこかで手を放したりしてませんよね。うん、手を放したりしていない。いや、待てよ、本当にそうだろうか？

お嬢さん、忘れ物ですよ。

脳裏に、誰かの声が蘇《よみがえ》る。

確か、そう言われてこの紙袋をがっかりしながら持ち上げた記憶がある。あの時あたしはこの紙袋から手を放していたのだ。そうだ！

「そういえば、さっき、丸の内北口で、いきなりオートバイが突っ込んできて、転びそうになったんです。その時、手を放してしまって。構内放送をお願いしようと交番のところに並んでた時だから、一緒に並んでいた人の荷物を持ってきてしまったのかもしれません」

白鳥たちは顔を見合わせた。

「じゃあ、あの紙袋を持っているのが今は誰なのか分からないってことか」

「どんな人が持っていたか覚えてますか？」

みんなが表情を硬くして優子を見たが、優子は小さくなるばかりである。

「すいません、たくさん人がいたし、若い男女のカップルだったような気はするんですけど、はっきりとは」

「若い男女」

「ええ。なんだかすごく目立つ、美男美女のカップルがいました。でも、その二人があの紙袋を持っていたかというと全然自信がないです」

あの二人が一番目立ってたから、印象に残ってただけかもしれないし。

優子は必死に記憶を探ったが、まるで覚えていない。

元刑事たちは落胆の表情を隠しきれなかった。つられて俊策もしょんぼりと肩を落としている。

が、申し訳なく思ったものの、優子はそろそろと後退《あとずさ》りをしていた。お菓子も取り戻したことだし、いい加減に会社に帰らなくては。

「あのう、それじゃあ、そろそろ私」

「仕方がない、手分けしてそのカップルを探そう。協力していただけますね、田上さん」

元刑事たちがキッと真剣な顔で優子を見た。

「は、はあ。あの」

「もう一度そのカップルを見れば、分かりますね？」

「えっ、ええ、きっと」

とても帰るなんて言い出せる雰囲気ではない。優子は思わず顔を伏せてしまった。

そんなに大事なものなのかな。いったい何が入ってたんだろ。

犯人の正体を知らない優子は、ただ心の中で首をひねるばかりである。

「よおし、いいことを教えてやろう！」

その時、拡声器から流れてきた野太い声にみんながハッと振り返った。

コンコースの中がしんと静まり返る。

「俺たちは、都内十五か所に爆弾を仕掛けた。それが、明日未明一斉に爆発する。俺が持っている起爆装置のスイッチを入れれば、今すぐそれを爆破させることができる」

コンコースの中に、声にならないどよめきが起きた。不穏な緊張がコンコースの高い天井にこだまする。

「なんだと！」

「そんな馬鹿な」

思わず白鳥たちは叫んでいた。

拡声器の向こうで、フンと小さく鼻を鳴らす音が聞こえる。

「嘘だと思うか？　なんで俺たちが今日、こんなところでうろうろしてたと思う？　俺たちが無駄にそんなことをしないのは、おまえたちの方がよく分かってるだろう」

　再びコンコースが静まり返った。

「今日、東京駅に来たのは俺の『試作品』を試すためだった。遠隔操作がうまくいくかどうかチェックしようと思ったのさ。なんなら、今ここで試してみるか？」

　その声には、凄味《すごみ》のある笑みが混じっていた。それはとても冗談とは思えないもので、誰もが爆弾の存在を確信した一瞬だった。

「もういい。『試作品』を返してもらうのはあきらめた。俺が遠くに行ってからスイッチを押せばいいことだ」

　警官たちは、じっと次の言葉を待っている。

　優子や俊策、学生たちも固唾《かたず》を飲んで聞いていた。

「俺は移動して、姿を消す。申し訳ないが、もう少し子供たちにはつきあってもらう」

　もはや声すらも出さなくなった玲菜の母親がぴくっと身体を動かした。明子に至っては、ぼんやりと虚《うつ》ろな目で顔を上げるだけだ。

「俺は子供を連れて電車に乗る。ここの改札から、誰も入ってくるな。警官の姿を見たら、迷わずスイッチを押すぞ」

　警官たちの間に再び動揺が起きた。

移動。電車に乗られたら、追跡も警備も難しくなる。

麻里花と玲菜は反射的に顔を見合わせた。

移動。ママや警察のおじさんたちと引き離されてしまう。どうすればいいんだろう？

麻里花の顔に不安そうな色が浮かんだ。

ああ、お寿司《すし》がどんどん遠くなる。せっかくあいつにカルピス飲ませてうまくいったと思ったのに。

麻里花はどっと疲れが押し寄せてくるのを感じた。

いったいいつになったらこの男から解放されるのだろうか。

玲菜は麻里花ほど落胆の色を見せていなかった。相変わらずじっと無表情に何かを考えている。

「おい、行くぞ。おとなしくついてこい」

怖い顔をして、男が先に玲菜を引き摺《ず》りだした。彼女の方がおとなしく見えたからだろう。

「おい、そっちのおまえ」

男は玲菜の首に手を回し、ナイフをつきつけながら麻里花を睨《にら》みつけた。きついのか玲菜が顔をしかめる。

「逃げるんじゃないぞ。静かに俺の前を歩くんだ。おまえが逃げたらこいつの首を刺すからな。お友達がおまえのせいで血まみれになったら、おまえだって嫌だろう？　分かるな、お友達を置いていったら、おまえも一生人殺しって言われるんだぜ」

卑怯《ひきよう》だ、と麻里花は思った。

それまではどこか現実感がなくて、舞台の稽古《けいこ》の続きのように感じていた麻里花は、その時目の前の男に対して強い怒りを覚えた。

あたしは玲菜ちゃんを置いていったりしない。そんなことは、大人のすることだ。ずるをしたり、人のせいにしたり、乱暴なことをするのは大人だけだ。

「おじさんは、お友達を置いていっていいの？」

麻里花は静かに男の目を正面から見て尋ねた。

男は一瞬たじろいだ。

「早くしろ」

男は目を逸《そ》らし、ぶっきらぼうにそう吐き捨てると、麻里花を足でこづいて先に外に出るよう促した。

広いところに出て、麻里花は一瞬足がすくんだ。

コンコースの澱《よど》んだ空気が懐かしいようでもあり、息苦しいようでもあった。

が、ずらりと警官が並んでいるのを見てうわあ、と思った。

ママは？　ＴＶカメラはどこだろ？

麻里花は思わずきょろきょろしていた。が、明子の姿はどこにも見当たらなかった。きっと、この人垣の向こうにいるのだろう。

「おい、さっさと歩け」

背中をこづかれる。自動改札を通り過ぎて、有人改札を通れと言っているらしい。もっとも、今は係員がいなくなって、無人となっていたが。

こんなにがらんとした改札を見るのは初めてだった。金曜日の夕方の東京駅なのである。改札の向こう側も全く誰もいない。

麻里花は心細くなってそっと後ろを振り返った。みんながこちらをじっと見つめている。

麻里花は進むのに躊躇《ちゆうちよ》した。このまま改札を通り抜けたら、二度とみんなのいる場所に戻れないような気がしたからだ。

「早く」

再び背中を押され、麻里花は渋々ながら歩き出した。一足ごとに、コンコースが遠ざかっていく。誰も動き出す気配はなかった。二人を守るためだと知ってはいても、なんだかとても惨めで見捨てられたような気分になった。

「さあ、行くぞ。まっすぐ行け！」

男が低く呟《つぶや》き、歩調を速めた。

ママ、助けて。

麻里花は心の中で初めて泣き声を出した。

95

さて、周囲の喧騒《けんそう》もなんのその、クミコは相変わらず一人で東京中央郵便局の周りをうろうろしていた。

郵便局という場所は、さまざまな気を感じるところだ。特に、東京中央郵便局とあっては、扱われる文書は膨大な数になるだろうし、大勢の人間の気を感じるのである。来る。絶対ここに、彼女はやってくるはずだわ。

クミコは自分の直感だけを信じ、そっと古く珍しい形のポストに手を当てた。

ところで、読者は既にお忘れだと思うが、この珍しい石造りポストの差出口の上には文字が彫ってある。

『郵便は世界を結ぶ』

そして、この石造りのポストの上には、ラッパを吹いている天使の石像が置かれている。酸性雨と排気ガスのせいですっかり暗い緑色に汚れているけれど、天使は丸い地球の上に座っているのが分かる。

周囲は騒がしく、大勢の人が天使を無視して行き交っているものの、天使はラッパをけなげに天に向けている。

郵便は世界を結ぶ。

だから、こうしてポストは、自分の使命を信じて、今もじっとそこで誰かが手紙を入れるのを辛抱強く待っているのである。

96

「なんということでありましょう、我々は警察によって事件の現場から追い出されてしまいました。我々には今何が起きているか知る権利があります。そもそもこのような膠着《こうちゃく》状態に陥ってしまったのは、警察の初期対応に問題があったのではないでしょうか——」

TVの中で画面いっぱいに喋《しゃべ》る宮越信一郎を見て、北条和美は「フン」と思い切り鼻を鳴らした。

「ったく暑苦しいのよね、こいつ。警察の批判はいいから、おまえがそこをどいて後ろの景色を見せろっつーの」

和美は腕組みをしてリモコンのボタンを忌ま忌ましげに押した。

支社長室のTVをみんなが深刻な顔で取り巻いている。

TVはどのチャンネルを回しても、東京駅で人質を取って立てこもった過激派の事件の中継一色になっていた。

「全くクソ迷惑な。過激派だって？　なんたる時代後れ。今時まだこんなことやってる奴がいるわけ？　バッカじゃないの？　まともな生産活動をしたことないくせに他人の生産活動を邪魔しないでほしいわね。うちの営業職員を敵に回す恐ろしさを知らないな。一億の契約を落とされたら一生恨まれるぜー。よそでやってよ、よそで。工事現場とか新年の香港とかさ。なんでよりによって今日の東京駅なのよ」

和美は一人でかんかんになって毒づいている。

「北条さん、どうします？」

「これじゃあ、本社のバスも出られないんじゃないですか？」

「バスは出る。方角が違うからね。契約課に確かめた」

「でも」

女子職員たちがそっと支社長の机の上の時計を見る。

時計はもう六時を回ろうとしていた。

「チッ」

支社長や部長が、心配そうな顔でじっと和美の顔を見つめているのに気付き、和美は小さく舌打ちした。

全く、そういい歳した男が雁首《がんくび》揃えて心細そうな顔で見ないでくれる？

「支社長、手段については深く追及しないでもらえます？」

和美がそう呟くと、支社長以下、役付は無言でこっくり頷《うなず》いた。

和美は大きく溜《た》め息をつき、チラリとえり子を見た。

予想していたのかえり子もかすかに溜め息をつく。

「えり子、頼むわ」

「はい」

和美が低く言うと、えり子はあきらめたように頷いた。

「北条さん、加藤さん、気を付けて」

女の子たちが見送る中、封筒を抱えた和美とえり子はつかつかと廊下に出てエレベーターに向かった。

いったんエレベーターに乗り込んでから、ふと思い出したように和美が顔を出す。

「優子が帰ってきたら、あたしたちの分のお菓子とっとくように言っといてね」

「さて、どうするかね」

通りに出た和美は腕組みをして呟《つぶや》く。

えり子はきょろきょろと周囲を見回しながら答えた。

「まあ、急ぐならしょうがありません。支社の成績、ひいては我々のボーナスには代えられません」

「どこ通る？」

「八重洲の北口ですね。ケンジもあそこを通ってきたはずです」

「そうだね」

二人は無言で暫《しばら》く辺りを見回していた。

「あれかい？」

和美がふと視線を止め、えり子に囁《ささや》いた。

「あ」

えり子は和美が顎《あご》で示した先にあるものに気付いて小さく声を上げた。

バイク便の青年が、封筒を手にオートバイから降りるところだった。

さっき、えり子がオートバイを拝借した青年である。どうやら出先から戻ってきて、広告代理店に書類を持って帰ってきたところらしい。

えり子はポリポリと頭を掻《か》いた。

「ちょうどいいじゃない?」

和美が同意を求めたので、えり子はボソリと呟いた。

「二度はマズイかな」

「え?」

「ま、いいか」

二人はズカズカとそのバイク便の青年に向かって歩いていった。

「メット一つしかないよ」

「北条さんが使ってください。後ろに乗ってる人間の方が死亡率高いですから」

「分かった」

二人のOLが怖い顔をして自分に向かって歩いてきたので、青年は面食らったようだった。が、そのうちの一人がさっき自分からオートバイを盗んだOLだと気付き、男は口を大きく開け、何か言おうとした。

それを遮り、和美がにっこりと笑いかける。

「すいません、特急でお願いしたいんですけどね」

佳代子はひたすら恐怖に駆られて駅の通路を走っていた。

なんだかいっぱい人がいたが、みんな佳代子を避けている。

警官たちも、なんだか遠巻きにしているのはなぜだろう？

彼女には、それは彼女が爆弾を持っていると警官たちが思い込んでいるからだなどとは知る由もなかった。

佳代子は、両手にかつらとサングラスをぶらさげたまま必死に走った。それは、かなり異様なスタイルであり、遠目から見ると生首をぶらさげて走っているみたいである。一般の通行人が思わず逃げてしまうのも無理はない。

駅の構内から外に出るかどうか迷ったが、駅の外は遠くに感じ、佳代子は八重洲南口の改札に向かった。

自動改札にイオカードを突っ込み、改札の中に逃げ込む。

「待てーっ」

後ろから警官たちが追いかけてくる。振り返らなくても、さっきよりも追いかけてくる警官の数が増えていることは確かだった。

なぜ自分が逃げているのか。なぜ彼らが自分を追いかけてくるのか。

ちょっと考えてみれば、相当理不尽な状態であることは確かなのに、佳代子はすっかりパニックに陥っていた。一瞬立ち止まって彼らにその理由を聞いてみることなど、彼女の頭には全く思いもよらなかった。

心臓がバクバク言っている。こんなに全速力で走ることなど、いったい何年ぶりだろう。ああ、正博さん、助けて。なぜみんなあたしたちの邪魔をするの？　あたしはどうしてもあなたに会わなければ。あたしたちは幾多の困難を乗り越えて二人の愛をまっとうしなければならないのね。

いささか勝手な思い込みも、この逃亡を後押ししていたことは否定できない。

とにかく、佳代子は駅の通路を走っていた。

後ろから大勢の警官を引き連れ、丸の内南口へと向かっていたのである。

99

「やれやれ、えらい遠回りになっちまった」

「いい加減歩き疲れたわ。ただでさえ、今日は歩きにくいピンヒール履いてるっていうのに」

正博と美江はぶつぶつ言いながら通路を引き返した。

前方が通行人と警官でせきとめられていたので、八重洲北口側から出て駅の外を歩いて東京中央郵便局に向かおうということになったのである。

正博も、さすがにさっきのメロドラマモードから回復して、少しは現実的な思考能力が戻ってきたようだった。決まり悪そうにちらっと美江を見る。

「美江、ごめんね。こんなことになっちゃってさ。もう二度とこんなこと頼まないよ」

神妙な声に、美江も小さく笑った。

「そうね。もうやめとこうね。あたしも懲りたわ。ホントに、やめるんでしょうね？　また誰かにあたしの代わりをさせたら承知しないわよ」

美江はぽんと正博の肩を叩《たた》いた。

「うん」

「約束よ」

頷《うなず》く正博に、美江は小指を差し出す。

腕に掛けた紙袋がぶらぶら揺れた。

なんだろ、これ。結構重たいな。早く佳代子に返さなくっちゃ。

「なんだよ、ガキくさい」

「あたしの気が済むんだから、これくらいしてくれたっていいでしょ」

美江が口を尖《とが》らすと、正博は小さく笑って肩をすくめ、自分も指を差し出した。

「ん？」

その時、美江はなんだか低いモーター音の唸《うな》りを聞いたような気がして、顔を上げた。

「ねえ、なんか変な音がしない？」

「そうか？」

正博も正面を見た。

二人は指切りげんまんをしかけたまま、じっと正面から来るものに目を凝らした。

確かに何かが近付いてくる。

前方から、きゃーっ、わーっ、という叫び声が聞こえてくる。

「なに、あれ？」

美江はきょとんとした顔で呟いた。

二人が、その正体が通路を全速力で突っ走ってくる、青い事務服を着た二人のＯＬを乗せたオートバイだと気付くのは、そのかっきり一秒あとだった。

100

関東生命東京本社の通用口では、中型の白いバスが横付けされ、相模原本社に運ぶ荷物の積み込みが行われていた。バスは午前と午後の一日二回運行され、中には相模原本社に行く職員も何人か乗っている。

運転手の篠山靖秀《しのやまやすひで》は、庶務課の職員と一緒に首都圏の支社から送られてきた書類の入った大きなプラスチックの籠《かご》の積み込みを手伝っていた。どの籠も、ぱんぱんに書類の詰め込まれたマチ付封筒がぎっしり入っている。

庶務課の初老の男がふと暗い空を見上げた。

「また降りそうだね」

「うん。相模原の方もひどいらしい」

「気を付けてくれよ」

「いつもより遅れてるからな」

「東京駅の方はどうなったんだ」

「まだ膠着《こうちゃく》状態らしいよ」

篠山は運転席で鳴っているラジオに顎《あご》をしゃくった。

「よいしょ、と。やけに重たいな、今日は」

「ホラ、七月戦の最終締切だからさ。さっき五反田支社の女の子が載せてくれって契約書持って駆け込んできたよ」

「大変だなあ、支社の子は」

「これで全部だ」

二人は籠の数をチェックした。

「あっ、そうそう。篠さん、もうすぐあんたんところの子も夏休みだろ。いいものがあるんだよ」

思い出したように庶務課の男が手を振って、ビルの中に駆け込むと、チケットを持って戻ってきた。「関東生命ミュージカル・エミー特別ご優待券」と書かれたチケットを見て、篠山はこっくり頷く。

「ああ、CMで流してるやつだね。これ、面白いのかい？」

「うちの女房が孫連れていったけど、大劇場の椅子は気持ちよくてよく眠れたって言ってたよ。どうせどこかに連れてかなきゃならないんなら、お勧めだよ。関東劇場の椅子でゆっくり休めるだろ」

「なるほど。こいつはいいことを聞いた。ありがたくいただいとくよ」

「おっ、随分遅れてるぜ。ぼちぼち行った方がいい。相模原は時間にうるさいからな」

「あいよ」

篠山は時計を見て、足早にバスに乗り込んだ。外に手を振り、ゆっくりとドアを閉める。中に座っている職員に向かって、篠山はマイクを通して話しかけた。

「皆さん、たいへんお待たせしました。これより相模原本社に出発いたします」

「どきなっ」

加藤えり子は目の前にいるカップルに向かって叫んだ。それでなくとも、バイク便は後部座席が大きな箱になっているので、和美はむりやり狭い隙間に乗ってえり子にしがみついているのだ。些《いささ》かバランスが悪く、えり子も踏ん張らざるをえない。

ド派手な顔のカップルだな。なんだこいつら、指切りげんまん？　あほか、いい歳して。女が腕に提げた『どらや』の紙袋が邪魔だ、と思った瞬間、たちまち二人の驚いた顔が大きくアップになった。

悲鳴が聞こえ、軽い衝撃を感じたような気がしたが、えり子は構わず走り続けた。そろそろ丸の内側に出る頃である。


「ひでえ。なんて乱暴な」

「一日に二回もあんなのに遭うなんて。今日は厄日だわ。それにしても、さっきは男二人だったけど、今度は女二人だったわ」

オートバイの後ろ姿を見送りながら、正博と美江は悪態をついた。

「あら？」

美江は急に腕が軽くなったような気がして、思わずきょろきょろした。

何か荷物が減っている。

「あーっ」

美江は遠ざかるオートバイに目をやり、叫んだ。正博がぎょっとしたような顔になる。

「見て、あれ。あれ、佳代子さんの紙袋だわ。今ぶつかった時にひっかかっちゃったのよ」

「どうしたんだよ」

『どらや』の紙袋が、オートバイの後部座席の脇でたなびいている。プラスチックの箱の止め金に紐《ひも》がひっかかってしまったのだろう。

「えっ。佳代子の？」

「そうよ、まずいわ、取り戻さなくちゃ」

「追いつけるかな」

「あんた、逃げ足だけは速いんだからなんとかしなさいよ」

「ひでえな」

二人はまたしても丸の内側に引き返すはめになった。

「さっさと行けっ」

後ろから聞こえる男の声はますます苛立《いらだ》たしげになった。

だが、麻里花は身体が動かなかった。進まなくちゃ、行かなくちゃと思っているのに、身体がちっとも動かない。

ママ、助けて。ママ！

いよいよ頭の中が悲鳴でいっぱいになってくる。喉《のど》と鼻の奥が痛くて、じっと我慢していたが、今にも涙が溢《あふ》れだしてきそうだ。目の前のひっそりとした風景がぶれていると思ったのは、目に涙が溜《た》まっているせいらしい。

その時、麻里花は前方からたくさんの人が駆けてくる音が聞こえたような気がした。気のせいではなかったらしい。「なんだ?」と男が後ろで呟《つぶや》く声がして、麻里花は顔を上げた。


浅田佳代子はもう心臓が破裂しそうだった。

後ろからは、いったい何人いるのか分からないほどの警官が追いかけてくる。たいして長い人生ではないが、こんなに大勢の男に追いかけられることは初めてだったし、この先の人生でも経験しそうにない。

それにしても、なんでこんなに通路は人がいないんだろう?

頭の片隅にチラリとそんな疑問が浮かんだ時、遥《はる》か前方に丸の内南口の改札が見えた。その改札の手前に、一人の男と、二人の子供がいることに気付いたけれど、佳代子はその三人の状態を観察するどころではなかった。

「な、なんだあれは」

改札のこちら側で固唾《かたず》を飲んで見守っていた警官たちは、反対側から走ってくる女と警官たちを見て仰天した。

「聞いてないぞ」

「仲間か」

「なんてまずいところに」

どよめきが起き、あちこちで連絡を取って確認をしているがいっこうに女の正体はつかめない。必死に、近寄るな、止まれとジェスチャーを送っているのだが、いよいよその一団はこちらに向かってくるのである。

「いったい全体どうなってるんだ、今日は」

雫石貫三は呻《うめ》いた。


「な、なんだあれは」

健太郎は正面から走ってくる女の形相を見て思わず後退《あとずさ》りした。脳裏にかつてTVで放映された『八つ墓村』の一場面が浮かんでいたことは否定しない。が、自分の置かれている立場を思い出して、改札の外にいる警官に向かって叫んだ。

「馬鹿野郎、なんとかしろ。あいつらを止めろ。でないと、今ここで一斉に爆弾を」

唾《つば》を飛ばして叫びながら、健太郎は慌ててズボンのポケットを探った。

そう、ここに起爆装置が。俺がライターを改造して作った、遠隔操作のためのスイッチが。あるはずなのだが。

「えっ？」

ポケットが空なのに気付いた健太郎は、頭の中が真っ白になった。思わず玲菜を放し、身体中のポケットを血相を変えて探し始める。

玲菜と麻里花はぽかんとしてその様子を見ていたが、ハッとして同時にそのことに思い当たった。

二人でぱっと顔を見合わせる。

「おじさん」

麻里花は自分のポケットを探った。

「ひょっとして、これ、探してる？」

麻里花は無邪気にライターを掲げた。

空気に電流のようなものが走った。

健太郎と、改札の外で見ていた刑事たち（正確には元刑事たちだが）は、同時に危険な起爆装置がそのライターであり、それをなぜかは分からないが健太郎ではなくその少女が持っているという事実を悟ったのである。

「麻里花ちゃん、こっちにそれを！」

白鳥が有無を言わせぬ大きな声で叫んだ。

「馬鹿、寄越せ」

健太郎が同時に叫んで麻里花に飛び掛かろうとする。

麻里花は反射的に白鳥の方に向き直っていた。彼女は小学校のソフトボール大会でピッチャーをやったことがあった。

あたしのストレートのコントロールはおすみつきなんだから！

麻里花は躊躇《ちゅうちょ》せずにライターを素早くアンダースローで改札の向こうに向かって放り投げる。

「きさま」

健太郎の手が麻里花の肩をつかんだ時、玲菜が健太郎の左足にすがりついた。健太郎はバランスを失って転びかかる。倒れた手からナイフが飛んでいく。

白鳥が自動改札にむりやり押し入り、ライターを受け取ろうと手を伸ばした。

その背後から、一斉に警官たちが改札を飛び越えて健太郎に向かって突入する。

空中でライターが大きな放物線を描いて白鳥の手に向かって飛んでいく。

そしてそこに、髪を振り乱した女とそれを追う警官隊が悲鳴と怒号を上げて飛び込んできたのだった。

「なんなの、この騒ぎは」

北条和美はヘルメットを押さえながら呟いた。

何か進展があったらしく、殺気立った警官たちが次々とバタバタ駆け出していく。和美たちの乗ったオートバイが駅の通路から飛び出してきたのも気付かぬ様子で、辺りは騒然としていた。えり子もさすがにうまく進めずよろよろ警官をよけている。

「すげえマッポだ……進めやしない」

えり子は毒づくが、駆け回る警官たちの周りには報道陣と野次馬が押しかけているので、なかなか外に出られないのだ。

「畜生、邪魔だ」

叫んでも、声は周囲の喧騒《けんそう》にかき消される。


「なんなのよ、この騒ぎは」

美江は押し合いへしあいしている群衆の中に飛び込んでしまい、面食らった顔で呟いた。なにしろ随分な距離を歩いているのでさすがに疲労の色が浮かんでいる。そもそも、美江と正博は、東京駅の中を歩きながらも現在起きている事件のことをまだ知らなかったのだから、いきなりこの阿鼻叫喚《あびきょうかん》の中に迷い込んでしまって当惑するのも当然だった。

「見える？　正博」

美江は苦労しながら後ろを歩いてくる正博に声を張り上げた。

「うん、いる。二十メートルくらい先で立ち往生してる」

正博は首を伸ばし、前の方でのろのろと進んでいるオートバイに目をやった。この群衆で、追いかけているオートバイが進めないのはラッキーだが、自分たちとの距離もなかなか詰められそうにない。

「ったく。なんて日だ、今日は」

正博は額の汗を拭《ぬぐ》った。

田上優子は、突如なだれこんできた警官の山に巻き込まれまいと必死に自分の位置を保っていた。苦労してようやく取り戻したお菓子は死守しなければならぬ。袋をしっかり抱えこみ、人波に流されないように足を踏ん張る。

どうなったんだろ、人質。あいつはつかまったのかな？

覗《のぞ》き込もうにも全く前が見えない。それでもきょろきょろしていると、遠くに見覚えのある顔を見たような気がした。

あれっ、北条さんと加藤さんだ。

優子は会社の同僚がオートバイに乗ってイライラしている顔を見つけ、契約便の時間だったことを思い出した。一生懸命手を振るが、この喧騒では気付きようもない。

あきらめて手を降ろした時、優子は更にもう一組、群衆の中に知っている顔を見つけてハッとした。慌てて近くにいた養老の背中を叩《たた》く。

「あっ、あの二人よ、刑事さん」

「なんだと？」

「さっき近くにいたカップル。間違いないわ」

「よし、つかまえるぞ」

養老は山本に目配せし、無理に群衆の中に身体を押し込むと、そのカップルに向かってゆっくりと移動し始めた。


佳代子はついに取り押さえられたが、警官たちの勢いが余っていたのと、彼女が走り疲れて足がもつれていたのとで次々と改札付近で将棋倒しになった。

なにしろ、川添健太郎を取り押さえるための警官も押し寄せているから、どっちがどっちのグループなのか分からない。改札付近は大勢の警官で押すな押すなの大騒ぎである。

佳代子はバッタリと地面に投げ出され、持っていたハンドバッグが地面と胃袋の間に挟まれ、激しく胃を打ち付ける形になってしまった。

一瞬にして胃の中のものが逆流し、口から溶けかけたカプセルが飛び出す。

カプセルは誰かが踏み付け、更に何人もの足に踏みつぶされて、たちまち地面に平べったくなり、すぐさま跡形もなくなった。

佳代子は目の前に赤い火花と星が飛ぶのを見た。

ああ、あたしは彼への思いを胸に星になるのだわ。


「川添健太郎の身柄を確保したようです！」

「仲間と見られる不審人物の女も一緒です！」

一斉突入が開始されてから五分が経過していた。

情報は錯綜《さくそう》していたが、どうやらいっぺんに事件は解決に向かっているようである。

「よし、今だ、行くぞ！」

それまで固唾《かたず》を飲んで様子を外から撮影していたテレビ朝田のクルーは、宮越信一郎を先頭として、警官たちの混乱に乗じて再び駅構内に駆け込んだ。

「おい、ここに入ってきちゃダメだ！」

宮越たちに気付いた警官が慌てて制止しようとするが既にクルーはカメラと照明を掲げて改札近くまで進んでいた。宮越はマイクに向かって叫ぶ。

「事件が動きました！　今まさに解決に向かっています！　人質の子供二人も無事です！」

宮越は、警官に抱えられ、ぼうっとした表情の少女に向かって突撃した。

「よく頑張ったね！　今の気持ちは？」

ライトを浴びせられ、マイクを突き付けられた二人の少女はきょとんとした顔で宮越や、周囲の報道陣の顔を見回していたが、二人で顔を見合わせて交互に口を開いた。

「ハイ、とっても嬉《うれ》しいです。あたしたち、二人で励ましあって我慢してました」

「あたしたち、仕事仲間なんです。これまでの練習が役に立ちました」

「仕事仲間というのは？」

宮越が尋ねると、二人は待ってましたとばかりににっこりとカメラに向かって満面の笑みを浮かべた。

「八月十一日から、関東劇場の『エミー』というお芝居に出ます。みなさん、見に来てくださいね」

「八月二十五日放送のKBSの二時間ドラマ『夏の約束』に出ます。見てね」

その見事な営業スマイルに、報道陣はあっけに取られた。

宮越信一郎は、後ろからトントンとスタッフに叩かれ、耳打ちされた。

「どっちもまずいです、うちのスポンサーは大日生命ですし、他局のドラマですよ」

しかし、時既に遅く、二人の言葉はしっかり生放送で全国中継されていたのだった。

現場の混乱に乗じて駅構内に押し入ったのはTVクルーだけではなかった。

好奇心をむき出しにした三人の学生たちも、状況が動いたと見るや早速中に踏み込んだ。

「どう、犯人見えた？」

「どれが犯人だか分かんないわ」

「すごい数の警官だなあー」

「犯人、下敷きになっちゃったんじゃないの？」

「将棋倒しは怖いよねえ」

「ねえ、ちょっと。あの女の人、ひょっとしてあたしたちが捜してた人じゃない？」

春奈が目敏《めざと》くピンク色のスーツを指さした。

「えっ？　あ、ほんとだ。さっきの、やっぱかつらだったんだね」

「なんであの人が警官につかまってるの？」

「そろそろやばいんじゃないかなあ」

春奈は腕時計を見た。忠司がハタと気付いたように蒲谷の顔を見る。

「おい、この場合、幹事長はどうなるんだ？」

春奈がキッと忠司に向き直る。

「最初に見つけたのはあたしよ！」

忠司は慌てた。

「馬鹿言うなよ、見つけたのはほぼ同時だろ」

「嘘よ、あたしが指さしたからあんたも見つけたんじゃないの」

「俺だって気付いてたさ、口に出さなかっただけで」

たちまち険悪な雰囲気になり、蒲谷がおろおろして呟《つぶや》く。

「それよりも、救急車を呼んだ方がいいんじゃないかなあ。ぼちぼちカプセルが胃の中で溶けるんじゃないの？」


「もしもし、すみません、ちょっとお尋ねしますが」

やっとのことで田上優子と元刑事たちが美江をつかまえると、振り向いた美江はきょとんとした。初めて見るＯＬと目付きの鋭い年寄りの男たち。

誰だろう、取引先の事務員だったかしら？

人の顔は忘れない方だと思うのだが、美江は目の前に立っている人たちの名前をどうしても思い出すことができなかった。

「ええと、あの、どちらさまでしょう？」

「あのう、さっき、私あなたの隣に並んでたんですけど、間違って『どらや』の紙袋を持っていきませんでしたか？」

ＯＬが恐る恐るという口調で尋ねる。

美江はますますあっけに取られた。

なぜあんな佳代子の紙袋の件をこの人たちが聞いてくるのだろう?

「実は」

元刑事たちが手短に説明した内容に、美江は仰天した。

「ばっ、爆弾ですって?」

「はい、どうやらその紙袋に入っていたようなのです」

頭の中が真っ白になる。あたし、あの紙袋、振り回したり、つついたりして——

美江は思わず背筋がぞおっと冷たくなった。知らないということは恐ろしいことである。

元刑事はふと美江の両手を見下ろし、彼女が紙袋を持っていないことに気付いた。もの問いたげな視線に美江は小さく頷《うなず》き、青い顔で遠くを指さした。

「実は、さっき、八重洲口から走ってきたオートバイに通路でぶつかった時に」

元刑事たちは美江の視線の先に目をやる。

今度は優子が仰天する番だった。そこには、和美とえり子の乗ったオートバイの姿があったのである。

ま、まさか、北条さんたちが。

「あ、あれはうちの職員です」

「なんですと」

優子が叫ぶと、刑事たちが注目した。

「今日は営業成績の締切日なんです。東京本社に契約書を届けに行ったんだわ」

白鳥と雫石は、ごった返すコンコースの中で、警官たちと一緒に麻里花が投げたライターを血眼になって捜し回っていた。

あの時、確かに飛んでくるのを見ていたし、もうすぐ受け取れるはずだったのだが、そこにあの女と警官隊が突っ込んできたので、ライターが行方不明になってしまったのである。

「おい、あったか？」

「ありません」

「絶対この近くにあるはずだ、捜せ。マスコミに気付かれるなよ」

解放された人質に報道陣が殺到しているのを尻目《しりめ》に、白鳥たちはかがみこんであちこちに鋭い視線を走らせる。しかし、いっこうにあのライターは見つからない。小さいけれども、見逃すようなものでもない。

冷や汗を流しながら、腰を押さえて白鳥は毒づいた。

「いったいどこに消えちまったんだ？」

群衆の中で、いつのまにか美江とはぐれてしまった正博もまた、人波に流されているうちに、警官に連れていかれる佳代子に気が付いた。思わず大声で手を振って叫ぶ。

「佳代子!」

佳代子はハッと顔を上げた。

「正博さん!」

この場合、『雨降って地固まる』というべきだろうか、それとも逆境に置かれた男女が見る幻影なのか、この瞬間だけは、二人はドラマチックな再会を果したメロドラマの登場人物と化していた。

特に正博はまだ先程の構内放送の余韻が尾を引いているらしく、佳代子に駆け寄り、哀切な口調で叫んだのである。

「覚えててくれたかい? あのポスト」

佳代子は目を潤ませた。

「ええ、もちろんよ。あの石のポストの上の天使の頭を撫《な》でて、世界を一つにするために社会人としての義務を果たそうって誓ったのよね」

「そうだよな。満期になった郵貯をいったいどこに預け替えるべきかえんえん話し合ったよね」

「あたしは投資信託を勧めたのよ。なにしろ金利は最低だし定期にしたってなんのメリットもないし、だったらまだ貯蓄預金にして流動性を高めておいてから」

「俺はドル建てで外貨預金かなと思ったんだけど佳代子がよした方がいいって」

「確かに今ドルは一番強いけど、外貨預金は意外とリスクが高いの、それはどうしてかっていうと」

「――あのう」

すっかり二人だけの世界になっているのをあっけに取られて警官たちが見守っているところへ、そっと近寄ってきた春奈たちは恐る恐る口を挟んだ。

「今、救急車を呼んだんですけど」


ようやく人込みを抜けて、東京本社のビルに辿《たど》り着いた和美とえり子は、既にバスが出発していることを知らされて焦っていた。

「くそう、この状況じゃ絶対発車が遅れてると思ったのに」

和美が舌打ちする。

「追いかけましょう」

えり子がエンジンをふかし、気合いを入れた。

「大体ルートの見当はつきます。大丈夫、まだまだ追いつけるはずです」

えり子の目が光ったのを見て、和美はかすかに不安を覚えた。

「緊急配備、緊急配備。女性二人が乗ったオートバイ。二人は関東生命八重洲支社の職員で、薄紫の事務服を着用。後部座席に『どらや』の紙袋が付着している。紙袋の中身は、『まだらの紐《ひも》』幹部の手製の爆弾と思われる」

「女性二人は関東生命東京本社から相模原本社に向かっているバスを追っている模様。バスは中型で、色は白。外装に文字は書かれておりません」

「いずれかを発見した場合、速やかに連絡お願いします」

「緊急配備、緊急配備——女性二人が乗ったオートバイ。オートバイは、後部座席に白い箱が付いています——バイク便会社のロゴが入ったもので——」

「女性二人は関東生命八重洲支社職員。名前は加藤えり子と北条和美。加藤えり子、運転している方はヘルメットをかぶっていません」

　パトカーの無線から次々と雑音混じりに流れてくる声に、ぴくっと反応していきなり身体を起こす男の姿があった。

　先程、市橋健児と壮絶なカーチェイスを展開したあげく、加藤えり子の出現で気分を害して休んでいた東山勝彦である。千葉県警のパトカーは、東京駅の籠城《ろうじよう》事件で一応協力態勢を取っていたが、事件が解決に向かったという話を聞き、引き返す準備をしている矢先のことであった。

「なに？　また加藤えり子が運転してるだと？」

「親父さん、まだ横になってた方がいいですよ」

部下が慌てて勝彦を寝かそうとしたが、勝彦の額には既に青筋が立っている。

「追え！　追うんだ。この機会を逃すな。絶対につかまえろ、いいな。でなきゃ俺は死んでも死に切れん」

「は、はい」

そのあまりの迫力に、部下たちも帽子をかぶりなおしてハンドルを握り、次々と方向を変えて走り始めた。たちまちパトカーのサイレンが巷《ちまた》に溢《あふ》れ出す。


フィリップ・クレイヴンはほとほと困り果てていた。

困っていたのは警官と甚一も同じで、それというのもフィリップのペットであるイグアナのダリオが、未《いま》だに甚一の顔から離れようとしないためなのであった。

コンコースの隅で、なだめたり怒ったり、いろいろダリオに話しかけてみたが、すっかり彼は人間不信に陥っている様子である。

「申し訳ありませんが、このままでは署まで同行していただくことになりますね」

警官が、もうわめき疲れてすっかりおとなしくなった甚一とダリオと、フィリップとを交互に見た。

「フィリップ、どうしたの？」

そこへ、クミコがやってきた。言葉もよく分からず、途方にくれていたフィリップは目を輝かせる。

「クミコ！」

「彼女の『気』が消えたわ――彼女、どこか遠くに行ってしまったみたい。あたしにはもう追いかけられないわ」

クミコは疲れたように首を左右に振ってみせる。が、ふと気付いたようにきょろきょろと辺りを見回した。

「あら、なんだかここにも滞った『気』が。うん？　なにかしらこれ」

クミコは、イグアナにしがみつかれた男に気付き、じっとそれを見つめた。

「クミコ、実はその」

フィリップがもじもじしながら話しかけると、クミコは「しっ」とその言葉を遮った。

「これはよくないわ――新しい『気』を送らなければ。ここには何か怨念《おんねん》のようなものを感じる」

クミコは目を閉じ、指を組んだ。「むん！」と鋭く叫んだので周りにいた警官もぎょっとする。

すると、ダリオが急にパッと顔を上げると、ぱたりと地面に飛び下りた。

「おお」

「やった」

喚声が上がり、汗と涙でぐしゃぐしゃになった甚一の顔が現れ、警官たちが再び彼を取り押さえる。フィリップは慌ててダリオを抱き上げた。ダリオは憑《つ》きものが落ちたようにすっきりした顔でフィリップの顔を見ている。

「クミコ、さすがだね」

「東京にもこんな大きなトカゲがいるのね。気を付けないと」

クミコは落ち着き払った声で呟《つぶや》いた。

フィリップはその時初めて、この日本人女性は変わっているかもしれないという考えが脳裏に浮かんだ。だが、すぐにそれは『気』を操りイグアナをも手なずけるスーパーウーマンを主人公とした映画へと形を変え、むくむくと彼の頭の中のスクリーンの中で動き始めていた。

よし！　次回の『ナイトメア』はこれだ！　犯人は、屋敷の外側から『気』を送って殺人を犯し、密室殺人を完成させるのだ！　新機軸だ！　きっと観客も喜ぶに違いない！

フィリップは、早速シナリオを書き始めるべくいそいそとホテルに帰っていった。

「あっ、ねえ、正博！」

美江がコンコースに辿り着くと、正博と佳代子と事情聴取のための警官とが救急車にぎゅうぎゅう詰めになって走り出していくところだった。

「彼女、大丈夫だったのかしら?」

美江はそこに立っている、見覚えのある学生三人の顔を見回す。

が、三人はやたらと真剣な表情でじっと美江の顔を見つめている。

美江は心配になる。

「どうしたの? 何かあったの? まさか、彼女の容体が悪化したとか?」

「いえ、彼女は元気だったんですけどね」

蒲谷が申し訳なさそうな顔で美江を見た。

「ちょっと協力していただきたいんですが」

「え? 何を?」

「今日中に幹事長を決めなきゃならないんです」

忠司と春奈が青ざめた表情でじっと美江を見る。

「あなたたち三人の年齢と職業について、あたしと彼が推理しました。どちらがより近いか判断していただけます?」

美江は面食らって、二人の顔を宇宙人でも見るみたいに交互に眺めていた。

篠山靖秀は、遠くからけたたましいサイレンが聞こえて来ることに気が付いた。

何かあったのかな？

火事でもあったのかと思い、バックミラーに目をやったが、どうやらパトカーらしい。遥《はる》か後方にたくさんのパトカーの赤いランプが見える。

どうしたんだろう。事件だろうか？

バスの後ろに乗っている職員も、みんな怪訝《けげん》そうに後ろを振り返っている。

「おい、あれ、うちの職員じゃないか？」

「あ、ほんとだ」

後ろで叫ぶ声を聞き、まさかと思ってサイドミラーに目をやると、オートバイに乗った女の子が見えた。確かによく見るとうちの職員の制服を着ている。

オートバイはみるみるうちに加速してこちらに迫ってきた。

と、心なしかパトカーも加速してどんどん近付いてきたような気がする。

ま、まさか。

その時、篠山はパトカーが追っているのはそのオートバイであるという可能性に思い当たった。しかも、そのオートバイが追いかけているのが、自分が運転するこのバスであるということに。

篠山は一瞬逃げ出したくなった。だが、オートバイは更に加速してきて、今や彼の運転席に迫る勢いである。

二人乗りをしている後ろのヘルメットをかぶった方の女が、手を伸ばして運転席の窓をどんどんと叩《たた》いた。

「ひ」

篠山は狼狽《ろうばい》した。

「こんにちは、八重洲支社です！　契約便お願いします！」

女が封筒を差し出す。

悪夢だ。これは悪夢に違いない。

篠山は反射的にのろのろと窓を開けていた。たちまち大きなマチ付封筒が突っ込まれる。

「ちゃんと籠《かご》に入れてくださいっ」

恐ろしい声が響いてきて、篠山は慌てて彼の座席の後ろに並べてある大きなプラスチックの籠に封筒を投げ込んだ。それを見届けた女は大きく頷《うなず》く。

「宜《よろ》しくお願いしまーす！」

オートバイは減速し、あっという間に後ろに消え去っていった。

夢だ。今のは夢だ。

篠山は必死に自分に言い聞かせていた。まさか、パトカーに追われたオートバイで事務員が契約書を持ってくるなんてことあるはずがない。

プラスチックの籠の中で、ごとごと揺られている封筒の音を聞きながら、篠山はひたすら前を見て運転を続けていた。


「すげえお客さんだ」

「用は済んだ。とっとと帰ろう」

封筒を渡し、えり子がスピードをわずかに減速させ、車体を傾けた瞬間、後部座席の箱の止め金にかろうじてひっかかっていた『どらや』の紙袋がぱさりと地面に落ちた。

和美もえり子も、紙袋がそれまでひっかかっていたことも、今地面に落ちたことにも全く気付いていない。

「しっかりつかまっててくださいよ。これから一気に奴らをまいて支社に帰りますからね」

「頼んだよ。やれやれ、これでやっとお菓子が食べられる」

えり子は凄《すさ》まじい勢いで加速すると、脇道にそれた。

「待て！　止まれ！　紙袋が落ちたぞ！」

前方でオートバイから紙袋が落ちた瞬間、一斉に先頭を走るパトカーがブレーキをかけたものだからたまらない。かなりのスピードを出していた先頭車両もすぐには止まれず、ずるずると路面を滑っていくところへ、血相を変えてオートバイを追っていた後続のパトカーが次々と玉突き衝突をした。

「うわーっ！　危ない！　紙袋を轢《ひ》くぞ！」

団子状態になったパトカーの集団が、勢い余って道路を進んで行く。

ぎゅるぎゅるぎゅると凄まじい音を立てて、アスファルトの上を滑っていった一番前のパトカーのバンパーが、紙袋の五十センチ手前でピタリと止まった。


「紙袋に入った爆弾を回収したそうだ」

連絡を受けた山本豊彦が叫び、一緒にいた養老秀朝と、田上優子と吾妻俊策は共に歓声を上げた。

「よかったよかった」

「やりましたね」

優子と俊策は手を取り合って喜んだ。

そこに白鳥と雫石がやってくる。ライターが見つからないので浮かない表情だが、昭文が都内に仕掛けた爆弾の場所を書いたメモを持っていたことが分かって、とりあえず爆弾が爆発することは避けられた形になり、安堵《あんど》したところだった。

「いやあ、大変な一日でしたね」

雫石が俊策と優子に向かって苦笑する。

「あ、たった今一句浮かびました」

俊策が小さく人差し指を上げた。

「『雨上がり眩《まぶ》しく光る友の笑み』」


「よかったよかった」

ようやく報道陣から警官たちが引きはがしてくれ、麻里花はしっかり明子と抱き合っていた。

「どうなるかと思った。ほんとによかった」

明子は麻里花の髪に顔を埋めてオイオイ泣いている。

「パパ、TV見てるかしら。お寿司《すし》食べられるかなあ？」

「ああ、そうね、お寿司食べる約束だったわよね」

明子はけろりとした麻里花の声にくすりと笑い、涙を拭《ぬぐ》った。

「でも、刑事さんたちが、さっきのことで順番に話を聞きたいって言ってたから、もう少し帰るのが遅くなると思うよ。そうだ、パパに電話しなくちゃね」

「あたしも友達に電話しなくちゃ。ちゃんとTV見てくれたかどうか確認しないと。あ、ビデオ録画したかどうかも聞いてみなくちゃ。あたしの顔がどんな風に映ってるかどうか確認したいの」

明子はあっけに取られた顔で麻里花の顔を見た。

「全く、あんたったら、さっきまで人質でナイフ突き付けられてたっていうのに」

「だって、あたし、プロの役者だもん。自分の演技はちゃんとチェックしとかなきゃね。そうでしょ？」

麻里花は、離れたところでやはり母親と抱き合っている玲菜の方をチラッと見た。

玲菜はそれに気付き、二人はニッと小さく笑った。

「やれやれ、あたし、腰が抜けちゃったわ」

警官に誘導されてパトカーに乗り込もうとした明子はがくんと何かに躓いて小さく悲鳴を上げた。

「もう！　そもそもこの靴が悪いのよ」

明子は修理した踵《かかと》を忌ま忌ましげに見下ろして、麻里花の手をしっかり握ったままパトカーに乗り込んだ。


「たいへん長らくお待たせしました！」

ようやく支社に辿《たど》り着いた優子はお菓子の蓋《ふた》を開けた。

えり子に和美、部長や課長らが期待を込めて箱の中を覗《のぞ》き込む。

が、中には粉々になったケーキの残骸《ざんがい》が形をとどめずに箱を埋めているだけであった。

さて。

ようやく大騒ぎが収まり始めた東京駅の夜であるが、最後に、麻里花がアンダースローで素早く放り投げたあの健太郎のライターがどうなったのかを説明しよう。

あの時、空中に浮かんでいたライターは、まず飛び込んできた佳代子の肩に当たり、駅のコンコースの空中に更に高く舞い上がった。白鳥の視界から姿を消したのはそのせいである。

そして、空から落ちてきたライターは、健太郎を捕らえるために突入した警官の一人の頭に当たり、大きくバウンドして駅の外に飛んでいった。

そこには、やはり飛び込もうとしていたテレビ朝田のクルーがおり、照明係が掲げていたライトにぶつかって更に屋外へと飛び出したのである。

結果として、ライターは地面にぶつかり、くるくると回りながら道路の隅っこへ投げ出された。周りではどんどん人が駅の構内に飛び込んでいったし、誰もそのライターに目を留める者はなかった。白鳥たちがコンコースの床を探していた頃には、ライターはずっと外の道路に落ちていたのである。

そして、更に、明子がパトカーに乗ろうとして躓《つまず》いたのはこのライターであり、そのためライターは更に道路の中ほどまで押し出される格好となった。

とどめは道路を走り始めたそのパトカーである。タイヤに跳ね上げられたライターは、小さな放物線を描き、ある場所にすっぽりと飛び込んでいった。

それは、つまり、東京中央郵便局の前にある、天使が載った石のポストの中である。

郵便は世界を結ぶ。

やがて、郵便局員は、ポストの中身を集荷にやってくる。

彼は、ライターを発見するであろう。

そして、もしかすると高級な一点もののジッポライターだし、それを取り上げて火を点《つ》けてみようとするかもしれない。果たして彼が点火を試みるか否か、また彼が点火を試みる時刻が、警察が都内に仕掛けられた爆弾を見つけ出すよりも先か後か。

それはまた別のドミノの話であり、これから倒されるかもしれない別の一片のピースに過ぎない。

【初出】
連載　KADOKAWAミステリ二〇〇〇年五月号〜二〇〇一年五月号
単行本　二〇〇一年七月（角川書店）

新しいジャンルを切り開くパイオニア

米原万里

な、な、何なんだ、これは!!

のっけから文学賞選考委員のエライ文筆家の先生方が眉《まゆ》を顰《ひそ》め顔を蹙《しか》めるような一発を食らわせてくれるじゃないの。イラストによる登場人物らしき人たちの肖像画にその氏名と紹介文。

「イラストではなくて、文章で勝負せよ、文章で!」

という苦り切った先生方の声が聞こえてきそう。

エラクナイ物書きのわたしでさえ、ちょっとひるんだ。もしかして、わたしって本質的に保守的なのね、若い人のセンスにはついていけないんだわ、と認めたくはない寂しい事実をいきなり突きつけられるショック。

ここのところで、恩田陸初体験のわたしとしては、読むかどうか一瞬迷う。

それでも読み始めたのは、イラストの二七人と一匹の肖像画に添えられた、本人たちの発するわずか二言三言が、それぞれのキャラクターを物語る的確さと、職業も生活環境も性格もこれだけてんでんバラバラな人々が一つの物語につながっていく必然性が、わたしの想像力の及ぶ範囲をはるかに逸脱していたからだった。要するに、好奇心、珍しいもの見たさ。ちなみに、単行本には添えられていたイラストが文庫本で省かれたのは、わたしのような保守的な読者をも取り込むためか、いや、おそらく文章だけで、登場人物たちの像を喚起する力が十分にあるからだろう。

そして最初の十数頁を読み進んだときに、なぜか長嶺ヤス子さんを思い出してしまった。情熱的なというか自己陶酔型のスペイン舞踊の踊り手だったのだが、捨て猫を次々に拾っては保護するものだから、当時彼女が住んでいた都内のマンションは猫だらけになり、住民からの苦情、非難を受けて、猫ともども郊外に引っ越したという逸話の持ち主。実は、同じように捨て猫を拾う癖《くせ》のあるわたしに向かって、かかりつけの獣医がいつも諭すのだ。

「米原さん、猫にも適切なポピュレーションというものがあるのですよ。お宅の広さでは、猫の許容数は四匹が限度です。長嶺ヤス子さんみたいに猫をあんな過密状態で飼うのは、近隣住民だけでなく猫にとっても大迷惑なんですよ。ストレスで病気に罹《かか》りやすくなりますからね。米原さんも、長嶺さんみたいになっちゃいけませんよ」

おそらく長嶺ヤス子さんのことを思い出したのは、小説においてだって適切なポピュレーションってものがあるだろうに、と考えたからだ。というのも、この小説の人口密度が異常に過密なのだ。

小説における人口密度は、普通の人口密度とはちょっと違う。試みに、小説の書き方を指南するハウツー本をのぞいてみるといい。

「五〇〇頁未満の短編小説の場合は二、三人が限度」

「五〇〇頁を超える長編でも一〇人を超える人物を描き分けるのは、初心者にとっては至難の技」

などともっともらしく記してある。いや、もっともらしくというよりも、実にもっともなことなのだ。数万の人々について語られようと、顔を持たない背景としてしか登場しない場合は問題ない。ところが、それぞれ生活し、人間関係のしがらみの中にあって、独特の感情や思考や行動のパターンを持つ人間として生き生きと印象深く小説の中で生きる人間の数は、おのずと作家の描き分け能力のみならず、読者の記憶力や本の頁数に比例する。

それに、小説は人間を描くというよりも、人間関係の真実を浮かび上がらせるものであるからして、人間の数が増えるたびに、他の登場人物たちとの関係をも描く頁数が必要になってくる。

さらには、読者に感情移入させ、その人物の視点で物語世界を見つめさせるような人物、すなわち主人公級の登場人物の数については、再びハウツー本に指南させると、

「短編の場合は一人、長編でも三、四人が限度」

と書かれてある。

自分が今まで読んできた小説を思い浮かべてみると、たしかに、それが小説の適切な人口密度というものであろう、と納得する。

ところが、恩田陸のこの小説ときたら、先ほどの二七人と一匹が皆これ主人公なのである。三七六頁に主人公だけで二七人と一匹。主人公一人当たりの割り当てが一四頁未満ということになるではないか。

恩田は、とんでもなく向こう見ずな実験に挑んでいるのでは、と気付いてサーッと鳥肌が立った。こういう冗談みたいなアイディアが浮かぶ小説家は何人かいるかも知れない。でも、アイディア止まりにしないで、実際に小説として成り立たせてしまうところが、途《と》轍《てつ》もない勇気（ほとんど蛮勇）と才能だ。小説を読み進むほどに、著者のパイオニアとしての気概と喜びが行間からほとばしり出てくるのが感じられて嬉《うれ》しくなる。

もちろん、『源氏物語』や『好色一代男』やドン・ファン伝説みたいに、一人の男性主人公が女性遍歴をするという形をとることで、複数の女性副主人公との短編恋物語という名の数珠《じゅず》を一人の男性主人公が一本の糸となってつなげていく結果、長編になるという物語形式は古くからある。

あるいは、何代にもわたるある家族の歴史を時系列で綴《つづ》る物語や、大河小説のように、時代の脈絡に人々を配して描く方法も多数の人物を登場させることが可能だ。

ところが、この小説では、そんな一本の糸となるような主人公も、語り手もいない。小説の中の時間も、歴史とか時代とか言うには、あまりにも短すぎる。わずか数時間。

登場人物たちをつなげる役割を果たしているのは、ある蒸し暑い七月の午後に東京駅という場に居合わせたという、たったそれだけ。ひっきりなしに人々が行き来する、メガロポリス東京の中でも、とりわけ人口密度の高い場所。しかも待ち合わせでもしない限り、そこを行き交う人々は皆お互いが無関係な、偶然の人々である。一度たまたま東京駅ですれ違って未来永劫《えいごう》出会うことの無いだろう人々。生活も性格も未知の、いわば顔の無い人々の群れなのである。

この小説も最初のうちは、まったくお互い無関係な人々のありふれた日常の物語がパラレルに進んでいく。まんべんなくつまみ食いするかのように、少しずつ。二七名＋一匹もを、最近とみに衰弱してきたわたしの記憶力ではとうてい消化できまいと恐れていたのだが、信じられないことに、杞憂《きゆう》に終わった。クッキリと一人一人の個性が描き分けられていて、するすると無理なく読み進める。

営業強化月間の成績締切日のため、大口契約の書類を持ちかえる同僚の到着をひたすら待ちわびる保険会社の社員たち。ミュージカル「エミー」の子役オーディションで火花を散らす少女やその母親たち。次期座長の座をかけて謎解きに挑むミステリー研究会の面々。新作のPRと取材を兼ねて来日中の映画監督とそのペット。俳句仲間とのオフ会のため上京した老人。彼を迎える警察ＯＢの俳句仲間たち。女と別れるため美貌《びぼう》の従妹《いとこ》と一芝居もくろむ若手ハンサム実業家。東京駅爆破を企むテロリストたち。

この人たちが、ほんの些細《ささい》な偶然からあれよあれよという間にお互い交差し、ドタバタとねじれて、絡《から》み合い、もつれ合い、収拾不可能となって、全員が劇的なクライマックスへと巻き込まれていくその様が、さながらドミノ倒しのようだというので、ついたのだろう、卓抜なタイトル。終盤にすべての登場人物が見事に結びついていく辺りは、ドミノのすべてのコマが倒れていくときにスピードが増していくワクワク感に通じる。

というわけで、掛け値なしに楽しめる肩の凝らないエンタテインメント。

と同時に、優れた作品が持つ時代性と社会性を併せ持っていることに気付いたのは、本書を読了直後、東京駅の構内を実際に歩いている最中だった。

二〇〇三年の暮れ。小泉内閣が国会における十分な論議も、国民に対する誠意ある説明もすることなく、なし崩し的にイラクへの自衛隊派兵を決め、アルカイダと思《おぼ》しき連中が日本をテロの対象にするという声明を発表した直後のこと。わたしがテロリストだったら、警戒が厳しく、もともとハイジャック検査などの検問体制が整っている空港よりも、この東京駅を狙うなあ、という思いにとらわれ、その瞬間、本書の中ではややアナクロで絵空事のように思えた、ドタバタ感と事件を演出するための小道具に思えたテロとテロリストたちが、ひどくリアリティーを持って迫ってきたのだ。

しかし、それよりもさらに根源的に今の時代と社会に生きる人間の核心にこの小説が肉薄していると気付いたのは、東京駅を足早に歩く人々一人一人に、限りない愛しさと親しみのようなものを覚えたからだった。構内の雑踏をかきわけながら、行き交う人々の顔を見つめ、この一人一人に生活と仕事があり、かけがえのない家族や友人や恋人がいて、喜びや悲しみや楽しみや怒りや希望や悩みがあるだろうことに想像力が働いている自分に気付いて愕然とした。

それは、今までわたしが彼らを、よそよそしい無機質な背景、人格を持たない群れという風にしか捉えていなかったことに気付かされたからだ。

人間がこれだけ物理的には身近に居ながら、まったくよそよそしい関係でいられる大都会。消費経済が発展すればするほど、人間関係は商品の取引に置き換えられて、ますます希薄に疎遠になっていく。

でも、この小説のようにとまではいかないだろうが、全体を俯瞰して見渡してみるならば、実は皆どこかで何らかの形でドミノ倒し的につながっているのではないかと思えて仕方ないのだ。もちろん、皆が運命共同体であることを確認するクライマックスが、テロとならないことを祈るばかりなのであるが。

その意味で、この小説形式は、実に卓抜に現代の大都会を表現している。おそらく、パイオニア恩田陸の切り開いた地平に、これから多くの小説が産まれるのではないか、という予感さえする。

（作家・元ロシア語同時通訳）

ドミノ

恩田《おんだ》 陸《りく》

平成16年 1月25日 初版発行
令和7年 6月5日 73版発行

発行者●山下直久

発行●株式会社KADOKAWA
〒102-8177 東京都千代田区富士見2-13-3
電話 0570-002-301(ナビダイヤル)

角川文庫 13221

印刷所●株式会社KADOKAWA
製本所●株式会社KADOKAWA

表紙画●和田三造

ISBN978-4-04-371001-0 C0193

◆◇◇